Neste potente, direto e acessível texto, Valdir nos entrega muito além de um manifesto. Analisa, mas vai além da análise porque é um texto-convite a uma viagem. Nela, Valdir nos lembra que o GPS de Deus traça uma teologia-jornada na qual a manjedoura, com uma criança no centro, é o destino; e o templo e o palácio, periféricos, são os desvios ameaçadores. Um convite igualmente perturbador e acolhedor, forte e delicado. Valdir, a exemplo de Jesus, chama a criança e a coloca no meio de nós.

Eduardo Nunes, diretor de Impacto, Estratégia e Inovação para América Latina e Caribe, da Visão Mundial Internacional

Valdir nos conduz numa ciranda: usa o encanto, o mistério, o respeito pela narrativa bíblica, o ir e vir, a cadência do texto antigo que ousa conversar conosco, ainda hoje. Revisita histórias bíblicas talvez emudecidas pela tradição moderna, que dá importância ao que tem poder e despreza o vulnerável. Valdir nos convida a escutar o texto "colocando a criança no centro". Ele escolhe textos que já gritavam, mas não eram ouvidos devido a nossa estranha surdez. O resultado deste exercício me dá esperança numa igreja mais alinhada com o Reino de Deus, numa igreja mais atenta a um Rei que é, incontestavelmente, amigo da criança.

Elsie B. C. Gilbert, missionária, jornalista e coordenadora da Rede Mãos Dadas

Neste livro a criança é mostrada como figura de conversão. Achamos que entendemos as crianças, mas se as escutássemos e observássemos como Jesus, agiríamos de outra forma; sendo semelhantes às crianças, correríamos para os braços de Jesus e ali, seguros, nos deixaríamos levar por ele. O adulto quer ser autossuficiente; a criança segue ao chamado "deixai vir a mim os pequeninos", ela vai, é curiosa, quer aprender. Valdir nos propõe o desafio de nos deixarmos converter por Jesus como crianças, e me encanta como traz sua humanidade e se identifica com os entraves da vida de fé do leitor.

Darclê S. W. da Cunha, coordenadora do Projeto Dorcas em Almirante Tamandaré, Paraná

Enquanto lia cada cantinho deste livro fiquei imaginando o que nosso Mestre quis dizer quando nos mandou crermos como uma criança. Tudo que pude concluir foi que eu preciso me entregar a Deus, em confiança, como meus filhos se entregam a mim todos os dias. Eles não me escolheram, não me conhecem por inteiro, não sabem da minha história pregressa, eles apenas confiam e obedecem (às vezes, mas nada diferente de nós "crescidos", não é mesmo?). É disso que trata este livro, da experiência de se sentir pertencente, acolhido, amado, aceito e protegido. E daí começar a incrível jornada do conhecer, do amadurecer. Obrigada, Valdir, por esta obra necessária e "em tempo". Eu certamente tirei minhas sandálias com essa leitura. Que suas páginas não só instruam os leitores, mas também lhes soprem fôlego novo na alma e os façam acreditar de novo, ver o Eterno outra vez, vir dançar no centro da roda.

Débora Otoni, escritora nas horas vagas,
mãe de Joaquim, Isabel e Cecília

Sou o primeiro a celebrar a publicação deste livro do meu bom amigo e mestre, Valdir Steuernagel, por quem ele é e por significar o que significa para o povo de Deus na América Latina e Caribe; e, de maneira particular, pelo tema que aborda em seu novo livro. É um tema novo: teologia da criança. Traz uma perspectiva renovadora: fazer teologia de olho nas crianças. E um desafio urgente: comprometermo-nos com a criança mais vulnerável, pois toda teologia que se chame cristã desemboca em novos compromissos com a missão de Deus. Recomendo, com entusiasmo, a leitura, estudo e divulgação desta obra.

Harold Segura, diretor de Fé e Desenvolvimento para
América Latina e Caribe, da Visão Mundial Internacional

Estudiosos apontam que podemos passar nossa vida adulta respondendo, consciente ou inconscientemente, às feridas de nossa infância. Isso tem implicações profundas na vida emocional e espiritual, na forma como nos relacionamos com Deus, com as pessoas e como agentes de transformação do mundo. E Jesus nos traz na criança uma referência especial. Neste livro, Valdir apresenta de forma bíblica e contextual a importância de nos aproximarmos de nosso *Aba*-Pai como crianças, enfatizando a escuta como caminho de abertura para o sopro do Espírito, para frutos de sabedoria, restauração, justiça e misericórdia que não se restringem à nossa experiência pessoal de fé, mas que se expandem em cada esfera da sociedade. Recuperar o olhar do mistério e a escuta da graça é um presente da "teologia de olho na criança", num reencontro com o coração de Jesus.

Karen Bomilcar, teóloga e psicóloga hospitalar em saúde pública

Na leitura deste livro encontramos a maestria da mente crítica de Valdir e também a sua escrita poética, quando revisita o Texto Sagrado e os textos da vida que nos fazem olhar para a criança e ver nela e através dela o que é o relacionar-se com Deus. A criança é a lição de vida do Valdir adulto, e devemos aprender com ele sobre isto: aprender das e com as crianças uma vez que elas têm, além da fé, "enorme capital de confiança" em Deus. Como mãe de quatro crianças, atesto diariamente a fé genuína delas, a disposição em crer-somente, a fala e também o silêncio delas; o cuidado da vida comunitária da nossa família — por causa da existência das nossas crianças — vai nos empurrando a fazer teologia de olho nelas. Confesso que ainda vou reler tantas vezes este livro e, ao menos, tentar não fazer tropeçar nenhuma das crianças que compõem a minha caminhada.

Ludhiana Moreira Sales e Silva, tradutora, casada com José Walter e mãe de quatro crianças

Valdir fala da história de meninas e meninos. Dos vulneráveis, daqueles que não são. Conta antigas e novas histórias. Reconta-as, sem pretender decompor a narrativa bíblica, sem intentar encerrá-la em algum sistema. Antes, convida-nos para, com ele, encená-la. Vivê-la. Sua teologia da criança, portanto, é autobiográfica. É fruto de um encontro e da adoração à criança da manjedoura e do convívio com tantas outras mundo afora. É um chamado a ser essa criança que nos humaniza e nos conclama ao Reino de Deus e sua justiça.

Michael Richard Reiner, procurador do Ministério Público de Contas do Estado do Paraná

Este é um livro que nos faz olhar e ouvir as crianças nas narrativas bíblicas e, ouvindo-as, deixamos morrer nossas "adultices" e colocamos a criança no centro. Traz de forma profunda e delicada uma abordagem para uma teologia da criança, tema tão necessário e ainda tão pouco trabalhado em nossos rincões teológicos brasileiros.

Silvana Bezerra Magalhães, doutora em Educação, pesquisadora das Infâncias e vice-presidente da Visão Mundial Brasil

Valdir é um teólogo no sentido clássico do termo, com boa formação acadêmica e seriedade com o texto bíblico. Na verdade, um dos melhores e mais importantes de nossos tempos. Uma marca do Valdir e de sua teologia é a de estar sempre com os olhos na realidade; e, nesse sentido, ele é um privilegiado, mas ao mesmo tempo responsável, em vista de suas tantas vivências no decorrer dos anos de caminhada na América Latina e no mundo, especialmente por meio da Visão Mundial. Neste texto fica evidente a marca da criança na vida e na obra do autor. Penso que seus netos em especial têm uma grande contribuição nessa conversão às crianças. É como se eles pegassem em suas mãos e o levassem a enxergar cada criança empobrecida e vulnerável no mundo e a orar: Venha o teu Reino, Senhor, sobre essas crianças. Cuida delas assim como cuidaste dos meus filhos e cuidas dos meus netos. Amém!

Welinton Pereira da Silva, pastor metodista e diretor de Advocacy da Visão Mundial

Fazendo teologia
de olho na criança

VALDIR STEUERNAGEL

Copyright © 2023 por Valdir Steuernagel

Os textos das referências bíblicas foram extraídos da *Nova Versão Internacional* (NVI), da Biblica, Inc., salvo a seguinte indicação: *Nova Almeida Atualizada* (NAA), da Sociedade Bíblica do Brasil.

Todos os direitos reservados e protegidos pela Lei 9.610, de 19/02/1998.

É expressamente proibida a reprodução total ou parcial deste livro, por quaisquer meios (eletrônicos, mecânicos, fotográficos, gravação e outros), sem prévia autorização, por escrito, da editora.

Imagem de capa: iStock,Weekend Images Inc.

Edição
Daniel Faria

Revisão
Natália Custódio

Produção e diagramação
Felipe Marques

Colaboração
Ana Luiza Ferreira
Marina Timm

Capa
Rafael Brum

CIP-Brasil. Catalogação na publicação
Sindicato Nacional dos Editores de Livros, RJ

S865f

Steuernagel, Valdir
Fazendo teologia de olho na criança / Valdir Steuernagel. - 1. ed. - São Paulo : Mundo Cristão, 2023.
224 p.

ISBN 978-65-5988-196-3

1. Espiritualidade. 2. Vida cristã. 3. Conduta. I. Título.

23-82128

CDD: 284.4
CDU: 27-584

Gabriela Faray Ferreira Lopes - Bibliotecária - CRB-7/6643

Categoria: Espiritualidade
1ª edição: março de 2023

Publicado no Brasil com todos os direitos reservados por:
Editora Mundo Cristão
Rua Antônio Carlos Tacconi, 69
São Paulo, SP, Brasil
CEP 04810-020
Telefone: (11) 2127-4147
www.mundocristao.com.br

Para:

Arthur
Davi
Alice
Oliver
Sofia
Benjamim
Samuel

SUMÁRIO

Prefácio	11
1. Teologia da criança	17
Uma epifania	
2. O texto, o encontro e o encanto	39
3. A criança! É a criança	59
Quem tem olhos para ver, veja	
4. Deus fala com a criança	85
E a criança fala conosco	
5. "Talita cumi!"	117
E os adultos riem	
6. Criança bem cuidada é criança abençoada	145
7. "Onde está? Viemos adorá-lo"	191
8. Teologia da criança	211
O mistério continua	
Sobre o autor	221

PREFÁCIO

Foi lá nos idos da década de 1970, ainda aprendendo a lidar com textos que seriam publicados pela Aliança Bíblica Universitária do Brasil (ABUB), que me deparei pela primeira vez com as instigantes reflexões de um colega de ministério recém-saído da faculdade de teologia. Ambos obreiros ativos no movimento estudantil, nós fazíamos parte da equipe que estava planejando o hoje histórico Congresso Missionário de 1976, organizado pela ABUB. E foi nesse contexto que encontrei aquele jovem contestador que trovejava pregando veementemente sobre o Reino de Deus.

Quando nos casamos e eu fui conhecendo-o melhor, nunca imaginei que um dia veria aquele "trovão" aquietar-se em silêncio e sentar-se aos pés de uma criança para ouvi-la e aprender com ela.

Valdir era pura adrenalina e inquietude. Circulava e argumentava com muita naturalidade, tanto entre os colegas de ministério e os nossos mentores no movimento estudantil cristão como entre professores e estudantes universitários nos acalorados debates sobre fé e política e questões sociais, brandindo com destreza os conhecimentos adquiridos e aprofundados na conceituada faculdade de teologia de onde acabara de sair. Observador arguto do mundo ao seu redor, ele era não apenas um pensador conceitual, mas sobretudo um visionário sempre "de olho na realidade", discernindo lacunas que apontavam para a urgência de projetos inovadores e encarnados. Não havia limites para o seu impulso de encarar os desafios e aproveitar as oportunidades que surgiam pela frente. Assim, encarnar os valores do Reino de Deus foi se revelando o foco e o eixo vivencial de sua teologia.

Depois de alguns anos fazendo teologia em meio ao exercício do pastoreio local e incursões cada vez maiores em círculos teológicos e missionais no Brasil e na América Latina, o chamado irresistível para seguir os passos do Andarilho da Galileia em espaços mais encarnados o levou a percorrer outras estradas, muitas estradas, nessa sua paixão pela teologia e pelo anúncio e vivência do Reino. Nessa longa trajetória há muito aprendizado e muitas histórias para contar. Várias delas aparecem aqui, e algumas serão reconhecidas por alguns leitores que já as viram exploradas em outras de suas publicações ou na revista *Ultimato*, da qual ele é colunista há quase trinta anos.

O respeitado teólogo Frederick Buechner diz que "teologia é mergulhar na própria vida", e C. S. Lewis, que "todo homem precisa contar a sua própria história".

É isso que você encontrará aqui: teologia narrativa através de histórias. Pois *Fazendo teologia de olho na criança* é muito mais do que um livro sobre o fazer teológico. É reflexão teológica em forma de autobiografia, relatos de uma descoberta surpreendente do autor ao embrenhar-se no emaranhado entre o estudo dedicado e o desafio da teologia encarnada e comunitária que o acompanha há tantos anos.

São as reflexões de um teólogo inquieto e apaixonado pelas "coisas do Reino" que ao percorrer, em nome e a serviço de Jesus da Galileia, muitos caminhos inusitados e estradas jamais imaginadas, pavimentadas até por gente chamada de "grande", foi descobrindo que para percorrê-las com coerência e propagar o evangelho com fidelidade ao seu Mestre ele precisaria converter-se e abraçar a pequenez de uma criança.

Parecido com Nicodemos, aquele doutor da lei que procura Jesus à noite trazendo consigo uma elaborada agenda teológica e, já de início, é surpreendido pelo Mestre com uma afirmação "infantil", que aos ouvidos desse líder religioso reconhecido e respeitado como "uma autoridade entre os judeus" soa totalmente absurda. Assim, quando Jesus lhe diz que *Ninguém pode entrar no Reino de Deus se não nascer de novo*, é do alto de sua posição que ele rebate: "É claro que isso não pode acontecer! Quem já é grande não pode voltar a ser criança". Então, o Mestre fala de algo simples e rotineiro, como o vento que sopra onde quer e não se presta ao nosso controle... Assim é essa "nova vida", diz ele. Nascer de novo é mistério, é coisa do Espírito.

Em *Fazendo teologia de olho na criança* o autor conta como suas "bem fundamentadas possibilidades e impossibilidades lógicas" foram sendo revisadas e enriquecidas quando a criança "foi colocada no meio", não só de sua trajetória ocupacional, mas entre ele mesmo e seu jeito de ver e fazer teologia e viver a própria fé. Ao deparar-se com a realidade da criança carente, desprotegida e necessitada de cuidados, ele começou a ficar "de olho na criança", ainda que meio cauteloso, como aqueles mestres da lei incomodados com as crianças gritando *Hosana* no templo e atrapalhando os ritos sagrados (Mt 21.12-16). Aos poucos, foi se convertendo e acolhendo o mistério divino evidenciado na vida e na percepção dos pequeninos.

Aqui Valdir nos leva a revisitar diversos relatos bíblicos que envolvem crianças e, compartilhando alguns de seus encontros com crianças pelo mundo afora, conta como ele, um missiólogo "conceitual, categorizador, 'racional'", um homem "obcecado pelo mito da adultez", como ele próprio se descreve no início do livro, foi descobrindo aos poucos que precisava "voltar ao ventre materno" e nascer de novo. Tornar-se criança. E assim ele passa a fazer *teologia de olho na criança* — não como mestre, mas como aprendiz.

Prefaciar este livro é, para mim, um privilégio enorme. Eu testemunhei ao vivo, ao longo dos anos, o nutrir da teologia, o seguimento da vocação e as experiências de transformação de vida e da tarefa teológica aqui testificados. Como companheira de vida e ministério, esposa e mãe de seus filhos e hoje avó de seus netos, tive o privilégio de vivenciar com o autor a luta constante e a busca incansável por produzir e divulgar uma teologia que fosse fiel, robusta e saudável, fundamentada nas Escrituras, e por viver aquilo que pregava. Mesmo muitas vezes custoso, não tem preço a riqueza que brota de termos sido, e ainda sermos, quase meio século depois de começarmos juntos, parceiros de reflexões e aprendizados no caminho da vocação compartilhada, e de ver esse teólogo apaixonado, profundo estudador e anunciador das coisas de Deus, ir se fazendo contínuo aprendiz na escola dos pequeninos de Deus.

No livro *Now and Then*, que é uma autobiografia teológica do já referido Frederick Buechner, ele diz que "um livro como este, se é que ele importa, importa mais do que tudo como um chamado à oração".

Nossa oração, ao compartilhar este livro, é que ele seja instrumento de Deus para que você, leitor ou leitora, também ouse *tornar-se criança* e ouvir a Deus pela boca dos pequeninos. E que, ao atrever-se nesse aprendizado modelador e fascinante que só se experimenta como mistério de Deus, você também venha a ouvir, como aqueles discípulos de Jesus ouviram depois de relatarem as grandes coisas que haviam realizado, o regozijo do Mestre quando ele exultou no Espírito Santo dizendo: *Eu te louvo, ó Pai, Senhor do céu e da terra, porque escondeste estas coisas dos sábios e entendidos e as revelaste aos pequeninos.*

A Deus seja a glória!

Silêda Silva Steuernagel

1
TEOLOGIA DA CRIANÇA
Uma epifania

Refletindo sobre a natureza da teologia, ao longo de muitos anos, passei a aceitar a percepção de que a teologia é mais uma disciplina exploratória do que explanatória, e que mergulhar nela requer a capacidade de adotar uma perspectiva tanto "interna" como "externa", equilibrando a subjetividade com a objetividade e o crítico com o visionário.

FRANCES YOUNG

Faz uns bons anos que escrevi um pequeno livro intitulado *Fazendo teologia de olho na Maria*.[1] E não demorou muito para começar a nascer em mim o desejo de escrever um pouco mais sobre a vocação teológica, que não deixa de ser a vocação de todo cristão. Desta vez o título seria *Fazendo teologia de olho na criança* e seria escrito em parceria com os toques e retoques que vão marcando a vida no decorrer dos anos. Ao escrever o prefácio, a Silêda, é claro, revela-se como a parceira primordial, pois é ela que, nestes mais de quarenta anos de convivência matrimonial, tem me feito transformadora companhia na vivência da fé como vocação e diante do surpreendente mistério que é a própria vida. Um mistério que rabisca contornos de revelação e adquire inimagináveis cores e aromas. Um mistério que me levou à presença da criança, acompanhada de uma voz que dizia "torne-se como ela e terá um vislumbre do Reino de Deus". Era Jesus e era a criança. Era a criança e era Jesus. Então eu tirei as sandálias.

O primeiro capítulo daquele outro livro dizia "Um pouco de autobiografia". E agora, de novo, eu me vejo esboçando

---

[1] Valdir Steuernagel, *Fazendo teologia de olho na Maria* (Curitiba: Encontro Publicações, 2003).

"Um pouco (mais) de autobiografia", assinalando não apenas que o tempo passou, mas destacando que o processo da conversa teológica tem a duração de uma vida. A teologia, aquela que está impregnada na pele do cristão, é forjada dia após dia, encontro após encontro e experiência após experiência, sempre a fugir de qualquer tentação que aponte para atalhos ilusórios. Atenta para evitar qualquer atalho que, impossível, queira diminuir a complexidade da vida, a dignidade inerente ao humano, a experiência do encontro com o outro e a vivência de uma espiritualidade que abrace a vida em todas as suas enigmáticas e deslumbrantes facetas.

O tempo passa rápido, e isso vai muito além do mero espaço de tempo entre escrever um livro e outro. Ao colher o fruto desse tempo, eu percebo que sou o mesmo e sou outro. Sou o mesmo, na carência da graça de Deus e na memória do seu chamado para a minha vida. Sou o mesmo quanto à percepção de que a fé se vive em comunidade e na acolhida ao outro. Sou o mesmo em minha ansiedade, inquietude e insegurança, sempre com sede de afirmação e acolhimento. Deus sabe como eu sou o mesmo: um teólogo suspirando pela revelação do eterno. E sou outro, pois no decorrer do tempo fui aprendendo que mais importante do que a certeza é a confiança, mais importante do que a resposta é o acolhimento. Mais importante do que o microfone é o abraço, e mais importante do que a performance é a transparência. Deus sabe como eu busco ser outro, pois senão serei sempre só o mesmo e eu mesmo: um teólogo atropelado pelo ruído da história e pelo barulho da vida, tanto dentro como fora de mim. Eu poderia, de fato, abraçar as palavras de Anselmo (1033/34–1109), bispo de Cantuária, quando ele diz: "Não tento, Senhor, penetrar a vossa profundidade, porque não posso sequer de longe comparar com ela o meu intelecto; mas desejo entender, pelo menos até um certo ponto, a vossa verdade, em que o meu coração crê e ama. Com efeito, não procuro compreender para crer, mas creio para compreender".[2]

Fazendo teologia... de olho na criança

Em seu livro *La teología como juego*, Rubem Alves diz não saber o que ele fez com "os uniformes que, em outros tempos, deram dignidade ao teólogo profissional". Uniformes compostos dos brancos colarinhos clericais, das coloridas capas doutorais, da linguagem erudita a se constituir em "símbolos diante dos quais os alunos se calavam respeitosamente e os leigos esboçavam, sem entender, os sorrisos da reverência". E continua dizendo: "não me recordo onde os deixei. Caminhamos por lugares onde eles não serviam para nada. [...] De fato, nos lugares por onde passa o teólogo, em busca de si mesmo, não havia nada que fazer com tais coisas".[3]

Já vesti vários desses uniformes, ainda que o colarinho clerical nunca tenha feito parte da minha indumentária identitária e a exuberante capa doutoral foi alugada uma única vez, para a formatura. Mas preciso dizer mais, pois a retórica do "descarte" do vestuário teológico pode se constituir num mero gesto performático a encobrir o esforço para ser considerado "um teólogo de respeito". Olho para dentro de mim mesmo e reconheço que já procurei falar

---

[2] Anselmo de Cantuária, *Proslogion*, cap. I.
[3] Rubem Alves, *La teología como juego* (Buenos Aires: La Aurora, 1982), p. 115.

difícil para impressionar os que me escutavam. Busquei me posicionar no círculo de eruditos e citá-los em meus rabiscos em busca de aprovação. Busquei títulos e, ainda que os ironize, eu os queria na contínua busca por relevância, reconhecimento e inclusão. Fui e sou um desses teólogos que luta com sua própria incoerência e ambiguidade e que, à medida que o tempo avança, está menos pronto consigo mesmo, na escuta das palavras de C. S. Lewis quando diz que "a narina do verdadeiro cristão tem de estar continuamente atenta ao esgoto interior".[4] Mas também me percebo sendo surpreendido pela desafiadora riqueza e complexidade da vida e pela graça de Deus, cuja presença e alento me inspiram a buscar contínuos caminhos de convivência, serviço e descanso. E foi assim, no caminho da surpresa, que me vi sendo envolvido pela descoberta da criança na presença de Jesus e de Jesus na presença da criança, para logo precisar dizer a mim mesmo que o paladar do Reino de Deus passa por essas presenças. E quanto a mim, eu carecia ser levado para dentro desse inesperado mistério, se quisesse ter alguma intimidade com esse paladar. Um paladar que desperta quando cinco pães e dois peixes passam das mãos do menino para as mãos de Jesus e muitos são alimentados. Um mistério que é descortinado no encontro entre o menino e Jesus e encontra colorido nas palavras de graça que brotam da boca de Jesus antes que os peixes e os pães sejam mastigados pela multidão faminta, como veremos mais adiante. E assim, aos poucos e de forma inesperada, foi sendo desenhado o meu encontro com o que se tem

---

[4] C. S. Lewis, *Cartas a Malcolm* (Rio de Janeiro: Thomas Nelson Brasil, 2019), p. 141.

chamado de *teologia da criança*, na descoberta de que, como diz Niebuhr, "toda criança é um teólogo nato".[5] Algumas coisas aconteceram comigo e me levaram a esse encontro. Um encontro que me chama para uma contínua conversão para Deus, para o outro e para a minha própria alma. Então eu tirei as sandálias.

Me tornei avô!

Eu sou pai de quatro filhos. Eles foram entrando em minha vida com muita naturalidade, aprendizado, gratidão e com a alegria de se constituir família. Mas isso aconteceu sem que eu tivesse acarinhado, suficientemente, a vida como milagre e a criança como mistério a marcar a vida toda e toda a vida. Os filhos foram nascendo sem que eu atentasse devidamente para a misteriosa singularidade da criança e a inter-relação entre elas e o Reino de Deus. Eu, afinal, estava muito mais imbuído da tarefa paternal, na qual teria de ser o provedor. Assim, enquanto me concentrava em *prover* eu estava perdendo a chance de *ser provido* por eles. Eu vivia obcecado pelo mito da adultez. Aliás, um mito alimentado por outro mito: a vida é séria e requer muito trabalho, e Deus espera isso de mim. Trabalhar sem limites. Como vício. Um vício ao qual se dava o nome de ministério. Trabalho e ministério e ministério como trabalho formavam uma dupla irresistível e indomável a gerar ausência.

As constantes viagens demandadas pelo trabalho-ministério tornavam a presença em casa e a construção de

---

[5] Reinhold Niebuhr, citado em Barbara Reynolds (org.), *The Letters of Dorothy L. Sayers, Vol II. 1937-1943: From Novelist to Playwright* (Nova York: St. Martin's Press, 1998), p. 313.

relacionamentos familiares enraizados um desafio sensível e contínuo, ainda que esse papel fosse desempenhado fielmente pela contínua e persistente mediação da Silêda. Um papel de estabilização familiar, busca de significação das ausências e do valor da presença, onde o inesgotável exercício do cuidado era inequívoca expressão de amor. Creio que, sempre assessorado pela Silêda, eu mudei muito desde o início da vivência da paternidade. Algo que nunca termina e, no meu caso, fluiu para a experiência de ter me tornado avô. Uma experiência que eu caracterizaria como uma nova chance no exercício do cuidado paternal.

No dia 5 de julho de 2007 o meu filho mais velho, enquanto ele e a esposa celebravam a confirmação da gravidez do seu primeiro filho, me escreveu um e-mail do qual compartilho aqui, com sua autorização, um pedaço:

> Oi, pai.
>
> O Opa [é assim que ele se refere ao meu pai, seu avô] me mostrou fotos de carros antigos que ele teve. Me ensinou várias coisas, entre elas, ser firme e fazer piadas ao mesmo tempo. Foi bom ter o Opa por perto... Tenho me perguntado se meu filho/filha vai ter alguém para mostrar fotos de Belinas antigas...
>
> Senti que está muito duro pra você o fardo. É claro que, por outro lado, o Opa não passa o dia lidando com a urgência da fome das crianças, a Aids na África... Acredite, advogar missão integral por aí só me deixou mais sensível e angustiado pela situação do mundo hoje — mais noites sem dormir e mais impulsão para se entregar, abandonar tudo e seguir a Jesus. Mas uma outra voz em mim se pergunta se o meu filho vai ter avô, ou se sou eu que vai contar as histórias sobre o avô... essa questão está em aberto. Não

sei se tem resposta. Mas eu queria que meu filho/filha tivesse avô para contar suas próprias histórias, um avô para ensinar a viver a realidade da fé no dia a dia como meu avô me ensinou. Te amo e só estou compartilhando.

Esse duro recado do meu filho me impeliu a buscar ser um avô presente na vida dos meus netos, ainda que muito disso tenha de acontecer na virtualidade, uma vez que estão distantes. Há dias em que creio ter avançado um pouco, enquanto noutros sofro de recaída; mas aprendi a celebrar e a abraçar as crianças de forma mais inteira e valorizadora. Os meus netos estão me ajudando no processo da minha conversão a eles e às "outras" crianças.

A riqueza e a vulnerabilidade das crianças

Enquanto meus filhos cresciam, meu envolvimento na World Vision Internacional, identificada no Brasil como Visão Mundial (doravante VM),[6] aumentava. Fui me deparando com situações e realidades de quebrar o coração: crianças pobres, subnutridas, abandonadas, exploradas. Muitas crianças, em muitos lugares, apontando para muita necessidade, sofrimento e injustiça. E muita maldade humana. Assustadora maldade humana. Maldade individual e coletiva. Maldade incrustrada em nossos sistemas econômicos, socioculturais e, inclusive, religiosos. Mas vi também muitas crianças

---

[6] A World Vision Internacional, a qual a Visão Mundial Brasil pertence, é uma ONG cristã que tem no cuidado de crianças em comunidades pobres a sua vocação mais específica, o que é bem expresso na sua Declaração de Visão, que diz: "Nossa visão para todas as crianças: vida em abundância. Nossa oração para todos os corações: a vontade para tornar isso uma realidade".

sorrindo, correndo, brincando, sendo alimentadas e abraçadas. Muitas famílias e comunidades chorando e sorrindo pelos seus filhos, em contínua busca pelo seu bem-estar. Em nossas conversas quanto ao compartilhado cuidado das e com as crianças, nos surpreendíamos com a espiritualidade delas — a sua fé, a naturalidade com que criam e o seu enorme capital de confiança. No encontro e confronto com essas realidades fui redescobrindo o evangelho e esse jeito de Jesus de olhar para as crianças e abençoá-las, desafiando-me a me tornar como elas. Então tirei as sandálias.

Relembro duas histórias que ainda estão comigo.

A Visão Mundial tem o privilégio de servir a milhões de crianças em muitos dos lugares mais pobres deste nosso mundo. Como uma organização cristã, estávamos sempre preocupados em afirmar a nossa identidade em qualquer lugar onde estivéssemos e isso requeria, simultaneamente, firmeza e sensibilidade. Também estávamos sempre avaliando o compromisso e o jeito de perceber a espiritualidade das crianças, no contexto de suas famílias e comunidades, em diálogo com o testemunho da nossa fé cristã, o que me era especialmente caro no período em que exerci o papel de vice-presidente internacional para a área do que chamávamos de Compromisso Cristão. Numa ocasião estávamos elaborando a intitulada "Política de Nutrição Espiritual das Crianças", no objetivo de aclarar e registrar quais eram os compromissos e as possibilidades quanto à vivência e à expressão da espiritualidade, em nossos projetos, em meio aos mais variados contextos, fossem eles seculares ou religiosos, de cunho cristão ou de outra matriz confessional. Ao me preparar para essa tarefa fui me dando conta, com vários estudiosos, que as crianças têm uma espécie de "espiritualidade inata"[7] e que, em repetidos contextos, a sociedade adulta procura enquadrar, adultificar, quando não matar essa naturalidade espiritual. Uma naturalidade que convive com a realidade de Deus de forma simples e se relaciona com o transcendente de forma óbvia, ainda que a partir dos parâmetros religiosos de sua convivência.

Essa experiência me mostrou que o problema *sou eu, o adulto*. Ou seja, eu tendo a enquadrar a "fé das crianças" nas categorias do meu mundo adulto — conceitual, categorizador, "racional" e produtivo; e assim vou matando e enquadrando a espiritualidade das crianças. Vou produzindo nelas uma espiritualidade que vai ficando tão pequena quanto é a minha fé adulta, enquanto deixo de aprender com a grandeza da fé das crianças. Aprender de sua espiritualidade instintiva e intuitiva. Aprender de sua relação sem suspeita com o transcendente, de acreditar no milagre e conviver com o mistério de um jeito que eu tendo a suspeitar, quiçá desaprendi e até rejeito. Aprender de sua relação com o outro e sua capacidade de viver em comunidade. Aliás, não apenas deixo de aprender com as crianças, como espero que elas se sentem aos pés dos adultos para aprender, e não o reverso. Isso certamente não quer dizer que as crianças não tenham muito que aprender com os adultos, em tantas e diferentes áreas da vida, ou que elas sejam puras e sem qualquer percepção de maldade em sua

---

[7] Isso quer dizer que elas têm uma abertura simples e confiante para as coisas transcendentes e uma grande capacidade de viver no universo desta realidade, vivendo-a, brincando-a e falando sobre ela. Ademais, elas têm linguagem para falar sobre isso.

vida e em suas relações com outros. Mas a verdade, e isso o trato de Jesus com as crianças irá nos ensinar, é que nós, "gente grande", temos muito a aprender sobre nós mesmos na relação com os pequeninos.

Eu aprendi, nesse processo, que preciso muito das crianças para poder perceber um pouco mais do que seja o meu seguimento a Jesus e a linguagem com a qual a descrevo. Preciso das crianças para a minha teologia e preciso abrir os olhos e ouvidos para perceber o mistério que se dá no encontro de Jesus com as crianças. Eles se entendem e se gostam, e isso eu só experimento quando me deixo presentear com o dom da confortabilidade que é vivida por eles. Mas essa confortabilidade só vem com a conversão. Fui vendo que Jesus é a pessoa de quem as crianças precisam para a sua vida e o seu próprio crescimento. Mais ainda, porém, descobri que eu preciso desse Jesus e dessa criança que ele recebe, e que eles, juntos, me fazem o convite para a experiência com Deus nos contornos do seu Reino.

A outra história, por mais dolorosa que seja, me leva de volta à igreja das portas gradeadas, na distante Ruanda. Parado diante das grades, com um vislumbre do seu escurecido interior, eu me vi diante de um dos memoriais do genocídio que ocorreu naquele país em 1994. Num período de cem dias foram mortos em torno de um milhão dos, na época, oito milhões de habitantes do país. Alguns foram mortos com armas de fogo, outros com granadas, mas muitos foram assassinados com machados, pedaços de ferro ou o que estivesse à mão, numa matança étnica vivida por um país enraivecido, vingativo, machucado, destruído, violento e violentado.

Espiando para dentro da igreja, percebi que havia ali inúmeros bancos e, sobre eles, muita roupa espalhada. Roupa velha e desbotada pelo uso e pelo tempo e ali espalhada como um memorial. Um memorial a registrar a lembrança de muitos dos muitos que se foram. Pois ali, naquela igreja, milhares e milhares de pessoas haviam sido mortas, e as roupas espalhadas pelos bancos eram testemunho dessa execução e compunham o quadro desse memorial de inacreditável fúria coletiva, discriminação cultivada, maldade insuflada e traduzida em inimaginável violência. Memorial da maldade humana em todo grau e gênero possíveis de imaginar.

Olhando à direita se vislumbrava outro setor do templo. "O setor das crianças", me disseram. Ali não havia bancos, mas a roupa também era muita e tinha o mesmo colorido desbotado e o mesmo jeito atirado e desajeitado. Roupa como memória — memória das crianças. Foi nesse "setor" que muitas crianças foram mortas. Trituradas. Arremessadas contra a parede e lançadas ao chão, quer estivessem mortas ou ainda agonizantes. Crianças! Encostei a cabeça num tijolo qualquer, em silêncio amargo. Olhos secos. Coração pesado! Mudo! Então não tirei as sandálias. A maldade humana não o merece.

Assustado, a minha estada na Ruanda me impactou pela enorme capacidade humana para a prática do mal e para a destruição do outro. Mais assustador ainda é pensar que aquela matança, num país denominado cristão, foi articulada e intencionalmente desenhada por um grupo étnico para aniquilar outra etnia. Foi genocídio premeditado. Essa prática, com tal nível de maldade e discriminação, certamente não foi um caso único na história da humanidade e nem é monopólio da Ruanda, pois tem adquirido variadas formas e dimensões em nossos diferentes tecidos sociais, como não é difícil de verificar entre nós. Onde quer que isso aconteça e a maldade se instale e até prevaleça, ela deve ser desmascarada e denunciada. Onde quer que ocorra discriminação entre diferentes grupos humanos, ela precisa ser enfrentada e superada, para que a diversidade seja celebrada e o nosso mundo seja um lugar onde todos possam florescer, como desenhado pelo próprio Deus. O mais trágico e o mais assustador, a ser destacado aqui, é que nos mais diversos espaços de expressão da maldade humana as crianças são as maiores vítimas; e isso me assustou ainda mais em minhas andanças mundo afora e entre diferentes comunidades empobrecidas e exploradas, ainda que não somente entre elas.

Ao sair do meu protegido mundo, tanto eclesial como sociocultural,[8] fui impactado pela capilaridade da maldade humana, vista tão eloquentemente na vida das crianças. Maldade individual, comunitária e institucionalizada. Maldade que se expressa no sequestro de crianças, transformando-as em crianças-soldados. Meninas que são vendidas por famílias endividadas e se tornam vítimas da prostituição infantil, em solitário abandono. Crianças que são "entregues" a linhas de produção artesanal, alimentando a escravidão infantil. Crianças "empregadas" pelos traficantes como entregadores de drogas em troca de um tênis novo. Esse

[8] Registro aqui que muitas vezes somos cegos para as maldades e as discriminações, como aqui citado, lá onde vivemos. Nossos contextos não podem ser romantizados, e olhar para o outro deve e pode nos ajudar a enxergar melhor o nosso próprio contexto e os sinais de maldade e discriminação nele presentes.

cardápio de maldades poderia encher páginas e páginas que não dariam conta de registrar a capacidade que têm os adultos de explorar as crianças para o seu próprio benefício e para a alimentação de um sistema injusto, violento, absolutamente inaceitável e causador de uma profunda tristeza no coração de Deus.

Uma angustiante perplexidade se instalou por entre os meandros da minha frieza relacional e dessa capacidade doentia de encobrir as dores, angústias e sentimentos com a enganosa volúpia do trabalho-ministério. Uma brecha se abriu e os meus caminhos ministeriais me colocaram no universo das crianças, especialmente das mais vulneráveis, quando, no silêncio da minha perplexidade, me debatia em minha própria humanidade, vulnerabilidade e espiritualidade.

Alguns dos textos bíblicos acerca das crianças começaram a desfilar e a dançar diante de mim, como veremos no decorrer deste livro, e eu fiquei mais perplexo e mais feliz. Mais perplexo, pois o choro da Raquel de ontem bateu fundo em mim e eu passei a escutar, de forma mais doída, o choro das Raqueis de hoje, que são igualmente *choro de grande lamentação* (Mt 2.18-19). Mais perplexo, pois entendi que Jesus estava falando comigo quando disse que quem *fizer tropeçar um destes pequeninos que creem em mim* (Mc 9.42), melhor lhe seria não ter nascido, pois a volúpia do inferno o abraçaria para a destruição. As sandálias não saíram dos meus pés. Ainda perplexo, mas com um suspiro de gratidão, recebi a palavra do profeta que o Espírito soprou sobre mim, desafiando-me ao arrependimento e para a luta pelo dia em que *não haverá mais criança que viverá apenas alguns dias* (Is 65.20). Então eu tirei as sandálias.

Caminhando para além do *meu* mapa

Um dos ex-presidentes da VM, Stan Mooneyham, dizia que é preciso caminhar para "fora do mapa",[9] e tentou implementar essa visão na organização no objetivo de que esta buscasse alcançar e servir pessoas para além de suas ações e programas normais e formais. Numa versão histórica posterior, se poderia dizer, a VM estendeu as fronteiras de seu mapa vocacional dizendo que era seu objetivo alcançar as crianças mais pobres entre as mais pobres, o que nunca era algo operacionalmente fácil de fazer e sempre a desafiava para além de seus caminhos estratégicos. A minha chegada à VM, com a qual estou vinculado há mais de trinta anos, certamente me empurrou para fora do meu mapa, para usar essa imagem. Levou-me para além da minha zona de conforto. Para fora do meu conhecido mundo luterano e do meu familiar mundo evangélico brasileiro e até latino-americano. A VM me levou para onde eu nunca tinha ido. Dito em termos geográficos, levou-me a alguns dos lugares mais pobres e vulneráveis do mundo, como Haiti, Timor Leste, Ruanda, Zimbábue e a própria Índia com toda a sua extensão. A VM me levou para onde eu não tinha ido em termos cristãos e religiosos, seja nos contatos com líderes ortodoxos, as idas ao Vaticano, ou ainda o encontro com líderes de outras religiões como os drusos ou muçulmanos. A VM me colocou no universo de uma organização onde eu, parco teólogo, me encontrava à mesa com especialistas em serviço social, na indústria humanitária, em marketing e comunicação, em finanças e em auditoria. Mesa essa que

---

[9] Stan Mooneyham, "Marching off the Map" (palestra), World Vision Vimeo, <https://vimeo.com/261336694>, acesso em 16 de dezembro de 2022.

definia as linhas estratégicas da organização no objetivo de oferecer o melhor serviço possível, ser a organização mais adequada possível, sempre no objetivo de cumprir com a sua vocação. Então eu percebia que estava andando fora do meu mapa e o meu mundo carecia ser rearranjado. O meu mundo de conceitos e convicções, perguntas e respostas, relacionamentos e distanciamentos precisaria ser readequado. Nesse processo, com a vida bagunçada e enriquecida, aprendi que precisava ser mais humilde, pois estava cru em muitas áreas. Aprendi que precisava estar aberto para escutar o outro, que me enriquece e desafia com a sua diferença. Aprendi que precisava aprender a silenciar diante de Deus, que está presente em cada um desses lugares e cuja presença nunca deixa de ser um mistério.

Com "a criança no meio", para usar uma expressão que será repetida muitas vezes no decorrer deste livro, me vi impelido e desafiado a novos rabiscos teológicos, em ressonância com a vida e com as relações em tantos diferentes contextos e lugares. A teologia, eu vim a perceber, precisa ser mais humana em sua integração e assimilação de múltiplos sotaques, cores, gostos e cheiros. Muito além de suas formulações, expressas em longas e estreitas sistematizações, ela precisa aprender a escutar melhor. Escutar para se humanizar. A teologia precisa ser mais integradora e menos domesticadora do diferente. É mister reconhecer que a teologia, nossa teologia ocidentalizada, tem sido muito branca nestes últimos séculos, além de formulacionista e masculina. À medida que a teologia se abre para a escuta e a integração do outro lá onde este respira, conversa e caminha, ela se torna mais colorida, mais leve e mais convidativa. Ela se torna uma expressão mais inteira de quem Deus é e dessa comunidade humana que é chamada a viver de forma tal que Deus seja adorado e o outro, conhecido e cuidado.

Nesse desenho teológico, também aprendi, precisa haver um lugar significante para a oração e o mistério. A oração que busca escutar a Deus em comunidade, para juntos discernir caminhos de adoração e de amor testemunhal, e o mistério que nos encontra perplexos, acolhidos e banhados na esperança em Deus. Perplexos à luz das dores, injustiças e desafios que marcam a nossa comunidade humana e silenciosos diante de um Deus que nos acolhe e nos surpreende com uma presença que gera acolhimento e esperança.

Evangélicos carentes de conversão... e eu também

Sou de uma geração de evangélicos que ministravam, buscavam e oravam por uma igreja relevante e significativa, num tempo em que essa igreja era uma bastante ignorada minoria. O tempo passou e hoje, depois de algumas décadas, somos uma igreja bem diferente. Crescemos e expandimos em muitas áreas eclesiais e ministeriais, e somos muito gratos por tantas comunidades de fé em tantos e diferentes lugares. Comunidades que estão sendo sinais de restauração e esperança em meio a muitas dores, insônias e desesperança a marcar a nossa vida individual e coletiva. Celebramos, em especial, as comunidades enraizadas nos mais diferentes lugares de pobreza, conflito e desagregação sociocultural e econômica. Comunidades que, com o evangelho nas veias, se tornaram acolhedoras, centros de ajuda mútua e sinais que apontam para a possibilidade de mudança de vida pessoal, familiar e até comunitária.

Confesso, no entanto, que também temos visto crescer uma igreja que, em muitas de suas expressões, tem sede, sabor e neurose de grandeza. Uma igreja que viu instalar-se em seus meandros uma mentalidade de império a alimentar um crescente e ávido mercado religioso. Uma igreja que gosta de fazer show e falar de domínio, enquanto busca o poder político institucional, religioso e secular, com os mesmos instrumentos usados em nossa história republicana. Instrumentos de um clientelismo controlador, aferrado à busca de benefícios individuais e institucionais, e em aguerrida luta pela manutenção de um sistema que os garanta, ainda que seja ao preço da manutenção de uma sociedade injusta, elitista e exploradora do outro, especialmente dos mais vulneráveis. Um sistema onde as crianças morrem com *poucos dias* (Is 65.20), para falar com a linguagem do profeta, seja isso literal ou metafórico.

É essa igreja que aparece, maiormente, nutrindo a nossa imagem pública, alimentando em nossa sociedade a percepção de que é isso que significa ser evangélico. Isso deveria nos deixar perplexos, frustrados e em estado de confissão e arrependimento. Há perguntas que gritam dentro de mim: por que a nossa prática missionária e eclesial é tão quantitativa e gestada por uma compreensão, prática e sonho tão vinculados ao modelo ocidental do progresso? Por que o evangelho que temos vivido e anunciado tem tanta dificuldade para ir além de uma agenda individual e familiar, negando-se a cruzar a fronteira que leva além de uma agenda de costumes? Por que o evangelho que temos anunciado e vivido é tão pouco transformador, gerando uma igreja que, mesmo numerosa, nem tasca os índices de desigualdade, injustiça e discriminação que marcam a nossa sociedade? *Por quê?*

Diante de perguntas tão desconfortáveis a serem escondidas em nossos bureaus eclesiais, eu me percebo parte daquele grupo de discípulos que disputavam entre si as posições de poder das quais se consideravam dignos e com as quais certamente seriam agraciados. E então vem Jesus, chama uma criança e coloca-a em nosso meio como um chamado à conversão e como anúncio de um caminho a seguir: o caminho do Reino. É a teologia que nasce diante de Jesus com essa criança que eu discirno ser um sinal de esperança para esta nossa igreja evangélica. Essa teologia, no entanto, só terá legitimidade se estiver disposta a andar no trilho da conversão e se este tiver na humildade os dormentes que a sustentam.

Teologia com outros toques e olhares

Eu estava sentado em meu escritório, lendo um livro, quando a Silêda entrou. Levantei a cabeça e disse a ela "estou perdido". Ela acenou e escutou. O livro que eu lia, dado por um amigo, era intitulado *Adrenalin and Stress* [Adrenalina e estresse]; e nele eu vi o autor, Archibald Hart, descrevendo a minha vida frenética com os seus limites confusos e entremeada de ansiedade.[10] Esta, segundo Hart, era a trajetória perfeita rumo a uma crise na qual o próprio corpo me diria que já não estava disposto a me acompanhar em minha agitada neurose operacional. Eu estava, de fato, em plena euforia ministerial e queria abraçar a tudo e a todos, numa ilusória corrida que sofria da falta de enraizamento e maturação, como a Silêda enxergava mas eu não percebia. Aliás, nem me permitia perceber. Eu tinha voltado do programa de doutorado, nos Estados Unidos, e queria, por tudo, recuperar o tempo de ausência do Brasil. Havia assumido um

---

[10] Archibald Hart, *Adrenaline and Stress: The Exciting New Breakthrough that Helps You Overcome Stress Damage* (Nashville, TN: Thomas Nelson, 1995).

ministério pastoral local; me afirmava na direção executiva de um movimento dentro da minha denominação; retomava os vínculos com o mundo evangélico brasileiro, com enfoque na missão e na unidade; exercia liderança na Fraternidade Teológica em nível latino-americano; havia assumido a presidência do comitê organizador do Terceiro Congresso Latino-Americano de Evangelização; e iniciava um processo que aprofundaria os meus vínculos internacionais na e a partir da VM. O quadro para um curto-circuito interno e externo estava montado. Então, pela graça de Deus, me chegou às mãos aquele livro. Mais do que um livro, me chegou um alerta! E, junto com ele, começou a insinuar-se em meu coração a necessidade de novas escutas, novos relacionamentos e novos jeitos de conversar, tanto com a própria narrativa bíblica como comigo mesmo e com os que me rodeavam.

Eu havia, digamos assim, fechado o ciclo de uma formação teológica de cunho acadêmico. Esta me deu conhecimento e instrumentalidade para lidar com a coisa teológica de forma conceitual e metodológica. Havia, também, sido mentoreado por homens e mulheres que pensavam e atuavam a fé de forma inteira e contextual, segundo o que entendíamos ser o modelo ministerial do próprio Jesus encarnado. Então outra porta se abriu, e diante de mim começou a desenhar-se um caminho no qual uma nova linguagem seria aos poucos apreendida e uma nova experiência vivenciada. Palavras-código como silêncio e escuta, descanso e encontro, oração e intimidade começaram a ser soletradas. As flores e as cores, novos olhares e outras sensibilidades acharam eco dentro de mim e foram me transformando. Esse caminho nunca poderia ser trilhado sozinho, pois era exatamente o oposto ao meu ritmo e jeito natural.

Por isso foi fundamental que homens e mulheres tenham se colocado no meu caminho, percebessem que eu precisava de ajuda e me levassem para o mundo de uma espiritualidade onde a intimidade com Deus, a relação com o outro e o serviço ao próximo se encontram e ali se fertilizam. Então o meu jeito de ver a Deus e falar dele e de suas coisas mudou muito, e eu me vi retornando ao privilégio e à necessidade de fazer teologia. O meu jeito de olhar para o outro, assim como o jeito de olhar para o meu entorno e me relacionar com ele, mudou enormemente, e eu percebi que precisava voltar a fazer teologia. O teólogo, fui descobrindo, desenha um mundo novo com palavras que tangenciam o eterno e abraçam o humano. Palavras que se gestam como testemunho desse mundo novo e que têm em Jesus o seu ponto de encontro e de envio.

A teologia ganhou, para mim, uma nova atentividade, e esta encontrou companhia naqueles que estavam soletrando algo que chamavam de "teologia da criança". É para dentro dessa alfabetização teológica que eu me vi sendo chamado, e fui me deparando com textos que parecia nunca ter visto e que me surpreendiam a cada esquina. Textos que, povoados de crianças, me falavam de Deus como *o totalmente surpreendente*.

É com alguns desses textos que iremos conversar no decorrer deste livro, na oração de que o Espírito Santo nos leve a ver, capacitando "o olho a uma atenção profunda e contemplativa, a um olhar demorado e lento", descrito por Byung-Chul Han como a "pedagogia do ver".[11]

---

[11] Byung-Chul Han, *Sociedade do Cansaço* (Petrópolis, RJ: Vozes, 2015), p. 51.

2
O TEXTO, O ENCONTRO E O ENCANTO

A palavra de Deus se opõe à tua vontade
enquanto não se tornar artífice de tua salvação.
Na medida em que tu mesmo fores o teu inimigo,
também a palavra de Deus o será.
Torna-te amigo de ti mesmo
e também a palavra de Deus estará em harmonia contigo.

AGOSTINHO

Nunca podemos compreender a Deus,
mas temos que continuar balbuciando
enquanto tentamos falar sobre ele.

AGOSTINHO

"Uma Bíblia, você diz? Cadê? Mostre-me. Eu nunca vi uma Bíblia."
Eu literalmente peguei o livro e corri para o meu escritório com ele.
Eu li e li e li —
agora em voz alta, com um calor indescritível
surgindo dentro de mim [...].
Não conseguia encontrar palavras para expressar
minha admiração e surpresa.
E de repente me dei conta: este era o livro que me entenderia.

EMILE CAILLET

É comum sairmos em busca de algum texto bíblico que, como uma sombra, persiste em nossa memória. A memória que resgata esses textos quando o considera necessário ou até conveniente. A memória que se ilude em pensar (risos) que pode controlar os textos. "Os textos", no entanto, até se deixam chamar, mas encontram um jeito de virar o jogo. De tomar a iniciativa e nos encontrar com a sua típica insistência e surpresa. Em diferentes instantes de nossa vida, por vezes os mais dramáticos, os textos emergem à nossa frente com a beleza e a força crítica de quem precisa ser ouvido. Como a menina que, olhos brilhando, não se esquece do garoto e fica sempre procurando um jeito de ser vista por ele, assim o texto não se cansa de colocar-se diante de nós para que o vejamos e o acolhamos. Para que o escutemos e nos deixemos alimentar com o seu gosto de mel, como experimentado pelo profeta Ezequiel,[1] e para que, diante dele, possamos nos encontrar a nós mesmos e vejamos nascer em nós identidade e vocação.

[1] Numa visão relatada pelo profeta Ezequiel, Deus o alimenta com o *rolo*. E, quando o come, a experiência do profeta é de que este lhe foi *doce como o mel* (Ez 3.1-3).

O texto — estamos falando do texto sagrado — é livre em si mesmo e, com sagrada paciência, resiste a ser usado e tem clara e repetida intencionalidade: convidar para uma conversa de coração e de caminhos. Uma conversa que transforma. Há vezes em que vamos em busca do texto — *aquele* texto — para que ele confirme os nossos próprios textos. Nesses casos, porém, ele parece esconder a sua vocação transformadora e se torna um "címbalo que retine". Pois o texto resiste ao repasse de sentido diante de propósitos que lhe sejam alheios, sejam eles ideológicos, mercadológicos ou mesmo de performance religiosa. Propósitos utilitários lhe tiram o que lhe é particular: o sagrado que nos humaniza, a voz que nos marca com o senso do eterno e nos leva a descobrir o outro como vocação.

Lembro dos meus anos de rigoroso aprendizado teológico, quando as diferentes teorias quanto ao surgimento, composição e interpretação dos textos bíblicos procuravam adequá-los aos "novos tempos". Eu, então um neófito nesse aprendizado, lembro da sensação que acompanhava o processo, quando sentia os textos se decomporem diante de mim, tornando-se secos e destituídos da vitalidade que convida para uma espiritualidade vital, comunal e transformadora. Longe de mim querer dizer que não necessitamos de uma teologia bíblica que nos leve a encontrar e entender o texto no seu nascedouro contextual, estendendo-nos o convite para ouvi-lo e experimentá-lo revestido de sua inerente vitalidade germinal. Aliás, o texto gosta dessa hermenêutica que o deixa falar, ecoando em nós com a força que gera adoração ao Eterno, identidade existencial e vocação ministerial. O texto gosta de ser compreendido para que possamos compreender a nós mesmos. Para experimentar que "compreender é compreender-se diante do texto", como diz Carlos Cunha referindo-se à hermenêutica bíblica de Paul Ricoeur.[2] O que o texto não suporta é ser enquadrado numa intencionalidade que lhe seja alheia e que busque manipulá-lo, ainda que não seja de forma consciente, para adequá-lo a interesses que ele anatematiza em sua própria intencionalidade original. O texto promove a adoração a Deus e a afirmação do outro, e rejeita a manipulação, seja de quem for.

A palavra "texto" vai aparecer muitas vezes por aqui e com ela nos referimos ao texto literal e citado, referenciando-o nas Sagradas Escrituras. Esse é o texto do qual partimos e ao qual voltamos, na consciência de que ele nos chega historicamente envolto e inspiradoramente atualizado. Esse "texto", coisa boa, sempre vai além de si mesmo ao mediar uma presença divina que nos leva para dentro da poesia do Eterno a ecoar em nós o seu incansável *Onde está você?* (Gn 3.8-9). O texto nos leva à escuta da voz. Da sua voz. Da voz do Eterno que, para continuar com a imagem de Gênesis, vem envolta no farfalhar histórico da caminhada no final do dia. O texto encontra o seu leito nos atrapalhos da nossa história e traz consigo uma voz que quer e precisa ser escutada. Envolto no mistério dessa voz do Eterno, o texto faz brotar em nós a expectativa do que fará conosco, pois ele nunca nos deixa iguais. Por vezes, o texto pode aparentar ser apenas uma vírgula, escondendo mas revelando a intenção

---

[2] Carlos Cunha, "Hermenêutica bíblica de Paul Ricoeur", *Teologia de Fronteira* (blog), 26 de julho de 2012, <https://teologiadefronteira.wordpress.com/2012/07/26/hermeneutica-biblica-de-paul-ricoeur/>, acesso em 16 de dezembro de 2022.

de nos levar ao ponto e vírgula, falando metaforicamente, no objetivo de gestar em nós uma transformação de vida que tenha a marca do Reino de Deus. O texto carrega em si a voz do Eterno e traz consigo o profundo desejo de nos encontrar exatamente onde e como estamos, para logo nos contagiar com essa Voz que é o nosso destino. O ponto-final.

Buscar e escutar os textos é um movimento necessário, rico e dinâmico, ainda que necessariamente interpretativo. Entro nessa busca com gratidão quanto às diferentes escolas e ensaios interpretativos que se fizeram e se fazem, no esforço e na aventura de receber e entender o texto em seu contexto para logo escutá-lo de novo em nosso contexto. É certo que sempre novamente nos enredamos em intencionalidades que buscam mais a afirmação de nossas teorias e dogmas do que a inclusão do outro nessa conversa interpretativa, o que acaba distorcendo a voz do texto. É significativo destacar, no entanto, que o texto tem, como já vimos, uma resiliência que o faz ressurgir sempre novamente e com surpreendente vitalidade. Assim, enquanto o leito do rio da interpretação bíblica é contínuo, ainda que sinuoso, no decorrer da história as margens desse rio têm sempre novos coloridos, espaços e estreitamentos. Isso significa dizer que as perguntas e as experiências de cada geração e contexto mudam, mas sempre recebem o frescor da água que rega e passeia pelas suas margens. É privilégio de cada geração participar da conversa entre o rio, o seu leito e as emergentes e necessárias margens. Nessa conversa me parece fundamental que:

- O texto fale sempre novamente e o faça com a beleza, intensidade e até com a conflitualidade de sua narrativa.

- Cada nova geração e cada tempo processe uma nova escuta. Uma escuta que tenha a intencionalidade de estar em sintonia com a primeira escuta. Uma escuta que ouça o texto para além do texto, que o receba no e com o seu contexto, como o "irmão mais velho" sem deixar de caminhar em direção à "irmã mais nova". Uma escuta que saiba e queira escutar.
- Haja o desejo de estabelecer uma relação de aprendizado crítico com a história da interpretação dos textos, gestando espaço para uma rica conversa com os pais e as mães na fé.
- Cada um sempre se perceba como filho/filha de sua geração, com as suas perguntas, medos, anseios e possibilidades. Uma geração que tem valor e dignidade em si e, como tal, carece ser abraçada, respeitada e entendida, assim como carece ser chamada à conversão. Uma geração que pode e necessita ouvir o texto, fazendo-o como a escuta ao verbo encarnado. Uma geração que experimenta a primavera dessa escuta.
- O texto seja recebido como uma experiência comunitária que discerne a sua vocação de adoração e de serviço ao outro, especialmente ao outro que é "pequenino", como expresso várias vezes por Jesus. Pois só quem escuta o texto com a percepção da adoração e da vocação para o outro é que entende a sua tonalidade e intencionalidade, que é sempre "boa-nova".

Muito tempo passou desde aqueles estudos teológicos formais, mas eu continuo querendo assentar-me aos pés do texto sagrado. Pois me foi revelado que esse texto fala de

Deus, do outro e de mim mesmo e o faz de um jeito que me dá a profunda liberdade da escuta, me revira por dentro e me estende um convite que nunca deixa de surpreender: andar com Jesus. Esse texto que, atualizado pela mediação do Espírito, aquece a alma e revolve as tripas, pois chega lá onde as angústias se aninham, as dúvidas se instalam e as resistências se armam — no escuro da alma. Quanto mais tempo passa, mais eu percebo que esse texto é mistério. É o mistério que me revela a Deus, *o totalmente surpreendente*.

É assim, como mistério, que vamos dispor aqui de alguns textos e o intencionamos fazer com a atentividade que convida a ter olhos e ouvidos de criança.

Escute! Ouvindo alguns textos:
A criança está no meio

Toda boa teologia tem saudade dos textos. Dos textos que falam de quem Deus é e como ele se relaciona conosco. Textos que são a narrativa de nossa realidade humana com sua riqueza, seus dramas e tragédias. Textos que nos vêm de ontem e têm, por isso, o seu contexto, a sua forma e a sua própria história, e que, como um mistério sagrado, conversam conosco e com a nossa realidade desde a perspectiva da sede, da angústia e da esperança humana. Os textos que vêm conversar conosco neste livro têm foco nas crianças e na misteriosa palavra de Jesus que diz para a gente ser como uma delas. Eles irão desfilar diante de nós a fim de que, ao fazer teologia de olho nas crianças, a gente se perceba agraciado com os segredos do Reino de Deus.

Frederick Buechner, ao falar de formação teológica, faz alusão ao seu professor de Antigo Testamento apontando para a relação entre a narrativa do texto e a narrativa da nossa vida. Deus, ele aponta, está sempre em ação no sentido de que o passado bíblico não apenas "ilumina o presente, mas se torna parte do nosso presente" e do nosso próprio passado. Citando o seu professor ele diz: "Até que consiga ler a história de Adão e Eva, de Abraão e Sara, de Davi e Bate-Seba como sendo a sua própria história, você, de fato, ainda não a entendeu". Pois a Bíblia é um livro acerca de nós mesmos, "das nossas apostasias, nossas lutas e bênçãos".[3]

É assim que chamamos à nossa memória alguns textos bíblicos para que eles nos ajudem a entender como viver com Deus, com nós mesmos e com o outro. Que eles nos ajudem no desnudamento dos valores e padrões que abraçamos, denunciem a forma egocêntrica e excludente na qual vivemos e nos convidem para uma surpreendente e assustadora conversão. Chamar esses textos e conversar com eles é o jeito de fazer teologia.

Os textos que vamos invocar aqui são diferentes relatos que envolvem crianças. O foco, porém, não está meramente nelas, mas muito nos adultos, na esperança de que, olhando a relação de Jesus com as crianças e destas com Jesus, estes se convertam. Esses textos nos surpreendem e nos chocam, pois neles as crianças parecem estar presentes com naturalidade, enquanto nós, adultos, nos debatemos infinitamente para saber o que fazer com eles e como lê-los de forma receptiva. Sem saber o que fazer com nós mesmos. Quem precisa desses textos, pois, são os adultos, na expectativa de que as crianças tenham para com eles a paciência

---

[3] Frederick Buechner, *Now and Then* (San Francisco: Harper & Row, 1983), p. 20-21.

que não desiste de esperar pela sua conversão. Afinal, como destaca o autor de *O pequeno príncipe*, ao falar de sua experiência com adultos por ocasião de seus seis anos de idade, "as pessoas grandes não compreendem nada sozinhas, e é cansativo, para as crianças, estar a toda hora explicando". E continua dizendo: "Ao longo da vida, tive vários contatos com muita gente séria. Convivi com pessoas grandes. Vi-as bem de perto. Isso não melhorou muito a minha antiga opinião".[4] Ele tem razão.

Os textos com os quais vamos conversar não vêm sozinhos, mas vêm de mãos dadas, pois têm algo em comum a nos dizer. Eles pipocam em diferentes lugares, nas Escrituras, com destaque para os Evangelhos, onde insistem em emergir com importante presença estratégica. Uma presença articulada por Jesus quando traz as crianças para o centro da conversa com os discípulos, numa clara mensagem de que os adultos é que são o seu foco. É claro que há vários outros textos que falam das crianças, apontando para o importante papel dos adultos para com elas; mas essas conversas, sem nenhum demérito a elas, não estão no escopo deste livro.

Quando se diz que os textos vêm de mãos dadas quer-se destacar que nos lugares e nos momentos nos quais eles brotam, no caso mais específico dos Evangelhos, uma mensagem conjunta emerge. Ou seja, vários deles têm lugar num momento de efervescência do ministério de Jesus. O seu ministério está bastante solidificado, encontrou ressonância nos círculos pelos quais se movimentava,

[4] Antoine de Saint-Exupéry, *O pequeno príncipe*, 48ª ed. (Rio de Janeiro: Agir, 2004), p. 10.

especialmente na Galileia, e já havia começado a deixar nervosos os representantes da estrutura religiosa que era articulada a partir da centralidade do templo em Jerusalém. Esse é um momento, também, no qual o próprio Jesus já começa a se focar na rota geográfica e simbólica para Jerusalém, iniciando uma difícil caminhada para a cruz. Uma de suas prioridades é se concentrar em seus discípulos para que estes possam aprender com ele e, à medida que caminham com ele, parecidos com ele se tornem. Parecidos com ele quanto aos anseios relacionais e quanto aos sonhos de tornar o Reino de Deus uma realidade presente e um futuro anunciado. No entanto, fazer dessa prioridade uma realidade mostra-se um enorme desafio, pois ele percebe que os discípulos estão preocupados e encantados com outra agenda e ocupados com outros sonhos. Estão conversando sobre o exercício do poder, em termos geopolíticos, e buscando um lugar estratégico nessa trajetória que iria, supostamente, restaurar a grandeza de Israel. Estão encantados, também, com o poder em termos espirituais, querendo exercê-lo na restauração dos enfermos e na expulsão dos demônios. Esse poder eles querem monopolizar, proibindo a outros que o exerçam e sumindo com os seus "concorrentes" (Lc 9.49,54).

As conversas de Jesus com os discípulos são longas, tensas e até graficamente metafóricas. Elas são longas, pois Jesus repetidamente os chama para perto de si para lhes falar sobre o que ele considerava fundamental na sua vivência e anúncio do Reino e sobre o que ele esperava dos seus seguidores. Elas são tensas pela tensão dos próprios discípulos ao se verem confrontados com suas dificuldades, resistências e fracassos, e então ouvirem Jesus lhes dizer que o segredo desse ministério não residia em suas elucubrações quanto ao poder, mas no universo da fé, do jejum e da oração. Uma fé que enxergasse o impossível e o inacreditável: montes podem ser movidos, enfermos podem ser curados, oprimidos podem ser libertos, Nicodemos pode nascer de novo e o rico pode entrar no Reino dos Céus (ver Mt 17.20-21; Mc 10.23-27 et al.).

E as conversas vêm a ser, para o susto dos próprios discípulos, graficamente metafóricas. Jesus parece jogar água fria sobre as prioridades dos discípulos, pois ao vê-los perguntando pelo lugar preferencial deles na prática política do reino, Jesus traz uma criança para o meio deles e os chama à conversão. Jesus os convida e desafia a se tornarem como uma criança. Algo impossível, como diria Nicodemos (Jo 3.1-15) em meio a uma conversa diferente, mas muito parecida.

A criança continua "no meio" até hoje, e de lá Jesus não a tira. Ela é a imagem mais nítida, mais encantadora e mais assustadora a determinar a leitura dos textos arrolados a seguir. Essa criança, como um "mistério envolto em mistério", para usar a expressão de Martin Marty,[5] não pode sair do meio pois ela é a expressão do convite que Jesus está fazendo *a nós*. É, pois, com a criança no meio que queremos nos arriscar a pronunciar as nossas conversas teológicas.

Muitos outros já olharam e conversaram sobre essa "criança no meio" e isso enriquece muito a nossa própria jornada, ainda que tenhamos de fazê-la sempre de novo. É preciso fazê-la para recebermos e sermos confrontados

---

[5] Martin Marty, *The Mystery of the Child* (Grand Rapids, MI: Eerdmans, 2007), p. 1.

com o convite e o desafio de Jesus pela nossa conversão. Um convite e um desafio que nos alcança em meio às nossas ansiosas e frustradas buscas pelo poder e em meio à nossa tentativa de manipular o transcendente, envolta numa grande ilusão, pois de fato "não podemos", assim como veremos que os discípulos não o puderam (Mc 9.18). Então ouvimos novamente e graciosamente que o caminho da oração e do jejum nos espera e que a fé pode e quer nascer em nós, como um grão de mostarda. Para que isso assuma os contornos de alguma realidade é mister escutar, e não negar, o desafio de Jesus para que nos tornemos como crianças. Elas afinal, como diz Rubem Alves, "veem coisas que os adultos não podem ver".[6] Não podem porque não querem, ainda que precisem. Elas, para dar um passo a mais, creem em coisas que os adultos têm muita dificuldade ou não querem crer. E a criança continua no meio.

Vamos, pois, em direção aos textos, orando as palavras do cego que, diante de Jesus, diz "Senhor, eu quero ver" (Lc 18.41).

O texto sabe o que faz:
Desconstruir e construir

Uma das marcas do texto é que ele sabe chegar e o faz de um jeito que nos acolhe e reorienta. Isso faz com que a nossa história com o texto se torne algo íntimo, particular e orientador. A minha primeira relação mais intensa com o texto foi em língua alemã quando, adolescente, fui aluno numa escola bíblica na qual a linguagem da fé era o alemão. Parecia que Deus falava alemão, pois era nessa língua que eu

---

[6] Rubem Alves, *La teología como juego* (Buenos Aires: La Aurora, 1982), p. 118.

falava com ele e a sua palavra falava comigo. À medida que esse mundo foi ficando para trás e a linguagem do aprendizado teológico passou a ser o português, já numa faculdade de teologia, Deus foi falando português comigo e os meus olhos e ouvidos foram se voltando para minha pequena Bíblia em português com sua distinta capa de couro. Com o decorrer dos anos e os caminhos ministeriais eu tive de mergulhar no inglês e me familiarizar com essa língua. Pois não é que Deus também começou a falar inglês comigo? Aconteceu à medida que essa língua ganhava expressividade e intensidade quanto às coisas da vida e do coração. Deus fala muitas línguas, pois ele fala a língua da vida e do coração de cada um dos seus interlocutores; individuais e coletivos. Ele fala conosco para além da letra, e quando ele fala a gente não apenas recebe palavras, mas discerne a sua voz. Uma voz que adentra o nosso interior, passando a marcar o ritmo dos nossos batimentos vitais. Quando Deus fala ele nos alcança pelo alfabeto dos textos, pelos poros das nossas percepções e pela sede da nossa alma. A palavra que Deus pronuncia carrega em si o sopro de Deus, e este é um sopro que faz viver. Deus sopra e nós vivemos. Deus sopra sua palavra e nós passamos a ter identidade. Deus sopra sua presença e nós passamos a ter pertença. Deus sopra seu Espírito e nossos olhos se voltam para o eterno.

A palavra que Deus pronuncia, intermediada pelo sopro do Espírito, se encarna e encontra o seu ponto de escuta diante de Jesus. Ele é a expressão encarnada da palavra de Deus e assim temos a possibilidade de entendê-la, recebê-la, deixando-a orientar os nossos caminhos de vida. A encarnação é o lugar onde escutamos a Deus e o lugar onde aprendemos a falar com Deus e de Deus.

A encarnação é o lugar onde se descortina diante de nós o alfabeto teológico que nos permite encontrar palavras que adorem e reconheçam a Deus, e palavras que nos deem sentido de vida e experiência de vocação, seja no nível individual ou coletivo. Efrém, o Sírio (c. 306–373), foi um teólogo poeta que nos levou a perceber, como diz Piu Him Ip, a encarnação como essa experiência na qual Deus se fez corpo "para que possa ser visto e tocado". Ao assumir a forma humana ele tornou possível que os humanos pudessem falar de Deus e com Deus. Por isso, aprendemos com Efrém, há uma profunda continuidade entre a possibilidade da linguagem teológica e o mistério da encarnação. Numa bonita expressão de Efrém isso significa que Deus "se revestiu de nossa linguagem para vestir-nos com seu modo de vida".[7]

O texto nos encontra lá onde estamos e como nós estamos, ainda que nunca saiamos iguais de uma conversa com ele. Ao chegar, o texto fala a linguagem da chegada. A linguagem do palpitar da vida. Do cotidiano. Ao se referir às parábolas de Jesus, Paul Ricoeur usa a expressão "narrativas de normalidade",[8] indicando que as imagens e metáforas que Jesus usa fazem parte da vida cotidiana e são rapidamente acolhidas quando Jesus fala delas. Essas narrativas, no entanto, nunca param em si mesmas e sempre convidam a entrar num outro

---

[7] Ver Pui Him Ip, "Putting on humanity: St. Ephrem the Syrian on theological language", <https://www.academia.edu/26303523/Putting_on_humanity_St_Ephrem_the_Syrian_on_theological_language>, acesso em 16 de dezembro de 2022.
[8] Paul Ricoeur, "Listening to the Parables of Jesus", in *The Philosophy of Paul Ricoeur: An Anthology of His Work*, eds. Charles E. Reagan e David Stewart (Boston: Beacon Press, 1978), p. 239.

universo. Um universo no qual a vida parece passar diante de nós como num raio-X. A partir da escuta dessas "narrativas de normalidade" passamos a nos conhecer melhor, a discernir o mapa de transformação de vida que carecemos e a vislumbrar um mundo alternativo para o qual o futuro nos chama. Num primeiro momento, continuando com Ricoeur, o texto nos desorienta para só então nos reorientar,[9] sempre à luz de um universo que se chama de Reino de Deus. A desorientação, segundo Walter Brueggemann, é um "relacionamento problematizado", quando a confiança e a obediência na relação com Deus se quebraram e "a orientação colapsou". A desorientação se dá quando "tudo parece distorcido, nos céus e na terra", diz Brueggemann no seu livro sobre os salmos, e nada se esconde da experiência humana, seja em relação a Deus, ao outro ou à própria alma. Mas é também no encontro com a desorientação mais profunda que, como ele diz ainda em relação a muitos salmos, há um movimento que aponta e anuncia uma "nova orientação", a qual "dá testemunho da surpreendente dádiva de uma nova vida quando nada mais era esperado".[10] É no roteiro dessa espiritualidade que Jesus caminha e avança, trazendo uma palavra que promove o desencontro rumo ao encontro no anseio de que se tenha uma experiência profunda e transformadora consigo mesmo.

Voltando à desorientação que o texto provoca em nós, ela é profunda e radical. Ela tem a profundidade das nossas rupturas, crises, inseguranças e medos. A profundidade do

[9] Ibid., p. 244.
[10] Walter Brueggemann, *Spirituality of the Psalms* (Minneapolis: Fortress Press, 2002), p. 43, 46-47.

nosso egocentrismo, da configuração dos nossos ídolos e da extensão da nossa prática da injustiça. O texto nos leva a uma desorientação tal que, com Paulo, exclamamos: *Miserável homem que eu sou!* (Rm 7.24), para logo perguntar, assustados, com Nicodemos: *Como alguém pode nascer, sendo velho? É claro que não pode entrar pela segunda vez no ventre de sua mãe e renascer!* (Jo 3.4). A resposta à nossa desorientação vem pela voz de Jesus, que, como o disse aos discípulos numa ocasião, *para os seres humanos isto é impossível, mas para Deus tudo é possível* (Mt 19.26, NAA). E assim a reorientação tem o seu início: no berço do susto, com as próprias impossibilidades, e no encontro com uma palavra que nos coloca no caminho de novas possibilidades. Diante do texto nos encontramos com a nossa "narrativa de normalidade", com seus devaneios, rupturas e maldades, e então nos vemos diante de um horizonte que tem as cores de um novo céu e uma nova terra; ou, na linguagem dada aos nossos pais e mães, uma terra que *mana leite e mel* (Dt 26.15, NAA). Diante do texto somos reorientados por inteiro. Permitam-me evocar uma outra narrativa que aponta nessa direção.

Num dos marcantes relatos do evangelista João, Jesus caminha em direção a um paralítico e, ao aproximar-se, vê explodir de dentro dele a sua desastrosa "normalidade" de 38 anos: abandono, solidão e desesperança, apontando para um quadro de profunda desorientação. Uma desorientação marcada por uma aguda percepção de abandono, que súbito se reverte em rota de orientação ao ouvir de Jesus umas poucas palavras que o abraçam e o restauram por inteiro: *Levante-se! Pegue a sua maca e ande,* e logo adiante, *Não volte a pecar* (Jo 5.8,14). Assim acontece com o texto, que aninha a voz do eterno em si, sempre novamente e sempre que nos deixamos encontrar por Jesus em meio às nossas "normalidades", ora assustadoras e ora cansadamente rotineiras.

O texto nos encontra, como já dissemos, no lugar e no momento exato das nossas desorientadas normalidades, para logo nos colocar numa rota que vai além dele, gerando uma narrativa que não "teoriza uma experiência" mas dá testemunho do que acontece conosco, para usar a linguagem de Ronilso Pacheco.[11] Essa nova orientação da qual nos tornamos testemunhas abre os olhos e os pulmões para a imaginação do Reino e a construção de mundos alternativos nos quais *o lobo viverá com o cordeiro, o leopardo se deitará com o bode, o bezerro, o leão e o novilho gordo pastarão juntos; e uma criança os guiará* (Is 11.6).[12]

Quanto a nós e a nossa busca por palavras e pelo tom que dê sentido ao nosso testemunho de encontro com a Voz que nos desorienta e reorienta, nunca deixamos de gaguejar e, até, de nos confundir em nossas notas e rascunhos. Como diz Albert Haase, "a linguagem humana sempre gagueja, manca e colapsa ao tentar expressar ou comunicar o mistério de Deus. O que quer que se diga ou se escreva acerca de Deus sempre estará sujeito a interpretações equivocadas ou errôneas. Como disse Eckhart: 'A mesma mão que escreve

---

[11] No livro *Teologia Negra: O sopro antirracista do Espírito* (São Paulo: Novos Diálogos / Recriar, 2019), Ronilso Pacheco diz que "a teologia que nasce no deserto não teoriza a experiência, ela testemunha" (p. 26).

[12] No livro *The Prophetic Imagination*, 2ª ed. (Minneapolis: Fortress Press, 2001), Walter Brueggeman fala da imaginação como um meio legítimo de conhecimento, destacando a importância e a possibilidade de o texto (no caso, o texto profético) ser escutado e repetido como uma proposta alternativa ao mundo dominante com os seus processos institucionais de domínio (p. x-xi).

a verdade acerca de Deus é a mão que apaga'. Somente o silêncio e os 'quadros-negros apagados' têm a capacidade de falar e transmitir a verdade sobre Deus. E assim devemos nos contentar com analogia e alegoria ao falar da Presença divina".[13]

Assim chegamos ao segredo *do texto* e de todos os textos aqui descortinados, deixando ecoar em nós a palavra do profeta que diz *uma criança os guiará,* palavra que vemos encarnada em Jesus. Uma expressão cuja historização a comunidade do Novo Testamento acompanha desde a visita do anjo a Maria, que, perplexa, o ouve dizer que ela *ficará grávida e dará à luz um filho, e lhe porá o nome de Jesus* (Lc 1.31). Uma expressão que os pastores transformam em testemunho quando, estando nas cercanias do lugar onde Jesus havia nascido, são visitados por anjos que lhes contam o que Maria e José já sabiam: *Hoje, na cidade de Davi, lhes nasceu o Salvador, que é Cristo, o Senhor. Isto lhes servirá de sinal: encontrarão o bebê envolto em panos e deitado numa manjedoura* (Lc 2.11-12). Correndo, eles vão conferir o que lhes foi anunciado e, junto com José e Maria, vão fazendo parte da comunidade que dá testemunho desse Deus que se fez criança e experimentou a vida de forma tão inteira e intensa que foi crescendo em *sabedoria, estatura e graça diante de Deus e dos homens* (Lc 2.52), modelando uma orientação de vida que se constitui num contínuo convite para a nossa própria vida — diante de Deus e diante de tantos outros.

À medida que acompanharmos os diferentes textos aqui abordados convém sempre lembrarmos que cada um deles,

---

[13] Albert Haase, O.F.M., *Coming Home to Your True Self: Leaving the Emptiness of False Attractions* (Downers Grove, IL: IVP Books, 2008), p. 20.

como dizemos na comunidade neotestamentária, tem um objetivo: levar-nos ao encontro de Jesus. O texto sabe o que quer, e o que ele quer é nos colocar diante de Jesus. É ele, Jesus, o centro do texto a partir do qual se nos estende um contínuo convite para andar com ele e com ele aprender a testemunhar de uma vida que reflete os sinais do Reino de Deus, descritos por Paulo como sendo *o fruto do Espírito* e por ele designados como *amor, alegria, paz, paciência, amabilidade, bondade, fidelidade, mansidão e domínio próprio* (Gl 5.22-23). O texto, porém, quer mais. Ele nos convida a acompanhar os magos em seu gesto de adoração ao "menino que nos guiará". Assim se diz dos magos: *Ao entrarem na casa, viram o menino com Maria, sua mãe, e, prostrando-se, o adoraram* (Mt 2.11). E assim se quer dizer de nós.

Para que possamos ter um vislumbre mais claro e decisivo desse caminho de adoração e seguimento a Jesus, ele mesmo coloca uma criança em nosso meio e, apontando, diz que devemos nos tornar como ela, se quisermos ser identificados como parte de sua família. A família onde a criança está no meio. Quem tem olhos para ver, veja.

Vamos aos textos.

3
A CRIANÇA! É A CRIANÇA
Quem tem olhos para ver, veja

Quando recebemos a criança em nome de Cristo,
a própria infância que recebemos em nossos braços é a humanidade.
Amamos a sua humanidade em sua infância,
pois a infância é o coração mais profundo da humanidade — é o
coração divino;
e assim em nome da criança recebemos toda a humanidade.

GEORGE MACDONALD

Já folheei os Evangelhos muitas vezes e até estudei algumas coisas sobre eles em vários livros. Alguns destes tinham muitas e outros poucas referências bibliográficas; mas bem poucos me levaram a ver e fixar os olhos em dois episódios que, hoje, me parecem estar no coração dos Evangelhos Sinóticos e no centro do então efervescente ministério de Jesus. Na verdade, confesso, nem eu mesmo os via, nem me dei conta antes da importância deles.

O ministério de Jesus está intenso, e o seu nível de impacto se aprofunda. Num momento de pico os Evangelhos Sinóticos destacam uma espécie de parada estratégica, como que para medir a percepção pública quanto à imagem de Jesus e a sua identidade. Em conversa com os discípulos ele pergunta: *Quem o povo diz que eu sou?* (Mc 8.27). Essa parada acaba se transformando num espaço de reconhecimento e confissão, que é verbalizada por Pedro de forma incisiva quando diz, segundo o Evangelho de Marcos, *Tu és o Cristo* (Mc 8.29).

Essa confissão desencadeia dois movimentos que caminham em direções opostas. Num deles, segundo a narrativa de Marcos, Jesus está a caminho de Jerusalém, onde será crucificado, e tenta colocar essa opção e essa trajetória na mente dos discípulos. Jesus convida aqueles que o seguem a estarem prontos para o mesmo estilo de caminhada e opção de vida, dizendo: *Se alguém quiser acompanhar-me, negue-se a si mesmo, tome a sua cruz e siga-me* (Mc 8.34). Nesse movimento, no qual o Jesus Encarnado se põe a caminho de ser o Cristo Crucificado, ele vai desenhando os contornos do que é o seu reino. Um reino que *não é deste mundo* (Jo 18.36), como diz o evangelista João, e que *não é comida nem bebida, mas é justiça, paz e alegria no Espírito Santo* (Rm 14.17), como afirmaria Paulo. Um reino que anda na contramão das excludentes pirâmides socioeconômicas e culturais que marcam as sociedades de ontem e de hoje. Esse reino é anunciado, materializado e sinalizado por Jesus junto a uma multidão que está sempre à sua procura, sedenta de sua palavra e ação. Lucas relata, por exemplo, que numa ocasião em que ele procurou um tempo de quietude e um lugar de refúgio junto com os discípulos, *as multidões ficaram sabendo, e o seguiram. Ele as acolheu, e falava-lhes acerca do Reino de Deus, e curava os que precisavam de cura* (Lc 9.11). O próprio Jesus interpreta isso como evidência de que *o Reino de Deus está próximo* (Mc 1.15); e os discípulos são convidados e desafiados a negar-se a si mesmos e aos seus sonhos e segui-lo — em sua rota, em sua opção de vida e em seu anúncio sinalizador de um novo tempo e uma nova possibilidade. Um tempo no qual, como Jesus mandou contarem a um deprimido João Batista, *os cegos veem, os aleijados andam, os leprosos são purificados, os surdos ouvem, os mortos são ressuscitados e as boas novas são pregadas aos pobres; e feliz é aquele que não se escandaliza por minha causa* (Lc 7.22-23).

Já no outro movimento, os discípulos estão fazendo uma outra leitura do que está acontecendo com Jesus e ao redor dele e se preparam para a construção de um cenário público diferente do que estão vivendo. Esse cenário poderia ser descrito na linguagem usada pelos discípulos no caminho de Emaús. Segundo a narrativa de Lucas, eles falam de Jesus como alguém que foi *um profeta, poderoso em palavras e em obras diante de Deus e de todo o povo,* e eles esperavam que ele fosse *trazer a redenção a Israel* (Lc 24.19,21), com as suas dimensões políticas, quanto a Roma, e político-religiosas, quanto ao templo e a cultura que girava em torno deste. Aquilo que os discípulos de Emaús iriam falar no cenário pós-crucificação, em tom desolado e usando os verbos no passado, neste movimento, registrado com acuração pelos evangelistas Marcos (9.33-35) e Lucas (9.46-48), os doze discípulos, animados e encorajados pelo ministério de Jesus, estão dizendo no presente que esperavam assumir um lugar preponderante nesse projeto de governo que implicava a "redenção de Israel". E fazem isso com afinco e seriedade, como seria normal em qualquer expectativa e gestão de poder. Sobre essa possibilidade e essa tarefa eles conversam entre si, e a salivação do poder os cativa e encanta.

É nesse contexto que encontramos os dois episódios, que nos parecem centrais e estão estrategicamente posicionados no descortinar do ministério de Jesus.

No primeiro episódio (Mc 9.33-37), Jesus chama uma criança e a coloca *no meio deles,* isto é, entre ele e os discípulos, construindo uma cena ministerial que põe a sua missão em perspectiva e a percepção dos discípulos quanto a ela em xeque. Essa cena, descrita nos três Evangelhos Sinóticos, é tão significativa que os evangelistas a situam no centro de suas narrativas. E no centro está a criança e lá ela precisa ficar pois é lá que Jesus a colocou. É preciso que os nossos olhos acompanhem esse gesto de Jesus, colocando a criança no meio e deixando-a ali enquanto ele arma uma conversa forte e certeira sobre as opções e os caminhos do seu Reino, junto com o desafio da conversão para quem quiser ser encontrado nesse mesmo caminho.

Vamos considerar esse importante episódio com interesse e cuidado, começando pela narrativa de Marcos, na qual, ao invés de ser indagado pelos discípulos, é Jesus quem lhes pergunta qual o teor de suas conversas do caminho, expondo assim suas agendas e interesses. Depois iremos ao texto de Mateus, no intuito de destacar a iniciativa dos discípulos a partir da pergunta que não queria calar: *Quem é o maior no Reino dos céus?* (Mt 18.1-5).

Em ambas as versões quanto a esse episódio se pode perceber a tensão e a contradição em que os discípulos vivem. Eles estão fascinados com Jesus e o seu ministério e estão comprometidos com o seguimento a ele, ainda que o estejam fazendo em seus próprios termos. Aliás, eles querem não apenas estar perto de Jesus, como também ensaiar passos que os coloquem em sintonia com a prática ministerial do Mestre. Assim, na narrativa de Marcos, logo antes da cena onde a criança é colocada no meio deles há um episódio altamente sintomático. Um menino possuído por *um espírito que o impede de falar* (Mc 9.17) é trazido por seu pai a Jesus. Mas, como este não se encontra ali naquele momento, os discípulos tentam uma ação ministerial, sem o resultado esperado. É isso que o pai do menino relata a Jesus assim que ele chega e já percebe que algo havia acontecido. Ele diz: *Pedi aos teus discípulos que expulsassem o espírito, mas eles não conseguiram* (Mc 9.17-18); e logo Jesus assume a situação. A história, no entanto, não termina tão logo, pois os discípulos querem saber qual o segredo de

Jesus e por que "a coisa não funcionou com eles". Jesus, então, entra numa conversa na qual se revela uma importante dimensão do seu ministério; ele aponta para um jeito totalmente diferente de exercer poder e gerar transformação de vida. Segundo o relato de Marcos, Jesus lhes diz que *essa espécie*, em alusão ao espírito que domina o menino, *só sai pela oração e pelo jejum* (Mc 9.29). Já em Mateus a resposta de Jesus é mais elaborada. Ele diz: *A fé que vocês têm é pequena. Eu lhes asseguro que se vocês tiverem fé do tamanho de um grão de mostarda, poderão dizer a este monte: 'Vá daqui para lá', e ele irá. Nada lhes será impossível. Mas esta espécie só sai pela oração e pelo jejum* (Mt 17.20-21). Ou seja, o segredo está na fé, no jejum e na oração e não em qualquer outra instrumentalização quanto ao exercício de autoridade e poder. Então o texto silencia e se fica sem saber se os discípulos entenderam a profundidade e o alcance do que Jesus estava lhes dizendo. Melhor, a continuidade da narrativa dos Evangelhos mostra que eles não entenderam, pois a antena deles continuava voltada para a voltagem de seus sonhos e expectativas. Eles continuam a se engajar na discussão acerca de qual deles deve ser considerado o mais importante. Então Jesus coloca a criança no meio deles, como a dizer: Quem tem olhos para ver, veja. Veja a criança. O mistério está em percebê-la. E, percebendo a criança, o mistério está em perceber a ele, Jesus. É como se este lhes dissesse: Vocês carecem perceber a ilusão na qual estão mergulhados. Uma ilusão que não lhes permite ter autoridade em relação ao coitado do menino possesso, e uma ilusão que os mantém cativos de seus próprios devaneios quanto ao exercício de autoridade e poder. Uma ilusão que os faz enxergar apenas a si mesmos, sem perceber nem a lógica do Reino nem a lógica da criança. Os discípulos precisavam de conversão, mas desta eles parecem estar longe. Muito longe. Basta ver como a narrativa continua.

Logo após a cena da "criança no meio" os Evangelhos de Marcos e Lucas apresentam um giro de cenário, protagonizado pelo discípulo João. É como se eles quisessem tirar a criança daquela roda, desviar a atenção de Jesus, fazê-lo parar com "essa coisa da criança e do Reino, do Reino e da criança", e colocar outro assunto na pauta. Um assunto que recupera a adrenalina dos discípulos e Jesus lhes dá atenção. Eles lhe apresentam o caso de *um homem* que encontraram expulsando demônios em nome dele e a quem eles proibiram de fazê-lo, pois *não era um dos nossos* (Mc 9.38-41). Uma atuação dessa natureza e nesse nome seria monopólio deles, e disso eles não estavam prontos a abrir mão. Aprofundando essa linha de ação, o evangelista Lucas traz uma cena subsequente, na qual Jesus e seus discípulos não são bem recebidos numa vila samaritana, o que tem as suas razões histórico-culturais; e João, agora acompanhado de Tiago, sugere queimar a vila. É isso mesmo: queimar a vila. Lucas diz assim: *Ao verem isso, os discípulos Tiago e João perguntaram: "Senhor, queres que façamos cair fogo do céu para destruí-los?"* (Lc 9.54).

Jesus os ouve, mas com eles não concorda, acentuando que a sua natureza é dar espaço, caminhar com outros na mesma direção, reconhecendo que o que se faz em benefício ao outro, ainda que seja servir um *copo de água* (Mc 9.41), deve ser aceito e até endossado. Assim, no primeiro caso Jesus lhes diz que não proíbam "aquele homem" de usar o seu nome, pois neste ministério não há monopólio; e no segundo caso ele repreende os dois discípulos. E o evangelho muda de assunto.

O assunto muda, mas a criança não sai do meio. Aliás, Jesus não deixa a criança desaparecer do cenário, como vemos na sequência que Marcos e Mateus nos apresentam. Logo após a cena de ciúme dos discípulos quanto ao homem que atuava em nome de Jesus, descrita por Marcos, ele volta às crianças dizendo que é melhor cuidar bem delas e de jeito nenhum fazê-las tropeçar. Fazer isso, diz Jesus, é trágico e terrível e não vale a pena viver carregando essa marca. Segue-se um relato que nos confronta com algumas das mais sérias expressões usadas por Jesus, quando ele diz que seria melhor *amarrar uma pedra de moinho no pescoço e se afogar nas profundezas do mar* do que fazer *tropeçar um destes pequeninos* (Mt 18.6), como veremos mais adiante.

Nem bem se esvai esse cenário da criança no meio, há outra cena de conflito se armando no horizonte; e assim chegamos ao segundo episódio. Nessa nova cena (Mc 10.13-16) a criança está de novo no centro, só que desta vez não é Jesus que a chama. Agora as crianças *são trazidas* até Jesus, e os discípulos dão do seu melhor para impedir que isso aconteça. Furioso, Jesus volta a deixar claro o que ele já tinha dito claramente antes: *Digo-lhes a verdade: Quem não receber o Reino de Deus como uma criança, nunca entrará nele* (Mc 10.15).

A criança continua no meio. No meio dos discípulos de ontem e de hoje. Ela está aqui, bem diante de nós, e eu, como um dos discípulos de hoje, me confesso exausto. Cansado dessa insistência de Jesus em me levar a olhar para a criança e dizer que eu preciso me tornar como uma delas, se quiser ter parte com ele e com o seu jeito de viver e ministrar. Ele não desiste. Estou exausto, também, pela minha própria insistência em defender esse monopólio adultocêntrico no qual a regra que vale é a autopromoção e o exercício do poder. Um exercício que exclui, rejeita e domina o outro, ao mesmo tempo que não dá conta de lidar com a complexidade da experiência humana, com as suas enfermidades e opressões, nem dá conta da convivência humana, com os seus controles e monopólios. Isso sem mencionar a relutância em passar a viver e agir a partir da fé, da oração e do jejum, a fim de tornar-se *o menor* e viver para *servir* bem ao outro. A resistência à conversão exaure. Quero mudar de assunto e tendo a concordar com os discípulos. Mas Jesus não desiste. Quanto a mim, preciso me perguntar se a minha resistência à conversão não seria a razão pela qual eu não havia encontrado, ou mesmo querido encontrar, esses textos no exato lugar onde se encontram.

Desta vez, no entanto, proponho não fugir de encará-los, e o faço em forma narrativa. Faço-o como um exercício de escuta que chama à conversão e com gratidão pela não desistência de Jesus em insistir com a criança no meio. Faço-o como teologia de olho na criança.

A criança está no meio

> *E chegaram a Cafarnaum. Quando ele estava em casa, perguntou-lhes: "O que vocês estavam discutindo no caminho?" Mas eles guardaram silêncio, porque no caminho haviam discutido sobre quem era o maior.*
>
> *Assentando-se, Jesus chamou os Doze e disse: "Se alguém quiser ser o primeiro, será o último, e servo de todos".*
>
> Marcos 9.33-35

> *Chamando uma criança, colocou-a no meio deles, e disse: "Eu lhes asseguro que, a não ser que vocês se convertam*

e se tornem como crianças, jamais entrarão no Reino dos céus. Portanto, quem se faz humilde como esta criança, este é o maior no Reino dos céus. Quem recebe uma destas crianças em meu nome, está me recebendo".

Mateus 18.2-5

Naquela noite, se você me permite a conversa da imaginação, eu entrei na roda. Quietinho, devagarinho, achei um lugar ao lado do Tiago. Ele olhou para mim e não disse nada. Pigarreei e murmurei "tá tenso, né", ao que ele murmurou de volta "né". Então ouvi um dos outros dizer para Jesus: "Esse negócio de virar criança é difícil de entender. Fica aqui, preso na garganta. Não dá. Virar criança? Não faz sentido e não tem jeito. Desculpe, Jesus, mas eu penso assim", e os outros pareciam concordar. Pelo menos assim indicavam os diversos meneios de cabeça. "Se você quisesse", Jesus disse, "daria para aceitar, mas é que você não quer, não é? Bem", Jesus continuou, "eu já vou dormir. O dia foi longo e amanhã tem mais." Enquanto ele saía rumo ao seu descanso ainda perguntou: "Vocês ainda vão ficar conversando um pouco?" e desapareceu. Eu decidi ficar ainda um pouco até que os outros também fossem para os seus cantos.

A cena já estava virando uma espécie de rotina. No final do dia, com o sol se pondo no horizonte, Jesus voltava para casa, em Cafarnaum. Na verdade, a casa era da família de Pedro, mas era lá que ele, agora, se sentia em casa. Depois de sair cedo, andar pela redondeza e se engajar em diferentes conversas e ações durante o dia todo, geralmente ele voltava para lá. Ele e eles, seus doze discípulos. Durante o dia todo nunca faltava assunto, nem desafio, nem oportunidade. E nem gente. Gente de todo canto. Gente com diferentes histórias e situações. Gente que não parava de chegar e se achegar. Por isso, quando o dia ameaçava acabar, o vagar do passo da volta indicava um cansaço individual e coletivo. Mas nada que impedisse uma conversa solta e bagunçada com várias vozes ecoando ao mesmo tempo e cada uma querendo encontrar o espaço que achava merecer. Naquele dia o volume das vozes parecia mais intenso e todos os discípulos pareciam bem envolvidos na conversa, enquanto Jesus caminhava sozinho e em silêncio. Parecia pensativo.

Aos poucos foram chegando. Mas antes de desaparecer casa adentro os discípulos foram formando uma roda no pátio, como era de rotina e como eles gostavam de fazer. Ali se fechavam as "coisas do dia" e se esperava o entardecer virar noite. Enquanto alguns ainda buscavam um lugar para se assentar, Jesus olhou para eles, deu um suspiro e falou baixinho: "Hoje eu vim caminhando quieto e com os meus pensamentos, mas vocês pareciam bem empolgados numa conversa que não terminava. O que foi mesmo que animou tanto o papo de vocês hoje?". Silêncio. Um estranho silêncio. Um silêncio que parecia falar. De repente, todos pareciam ocupados olhando para o chão. "Ué", murmurou o Tiago, "será que ele escutou...?" Eu havia escutado a pergunta de Jesus e fiquei ainda mais atento.

Ali perto, como também era normal, a criançada corria e suava. Faziam o que gostavam de fazer no entardecer do dia: brincar. Jesus pôs-se de pé, olhou para eles e disse em voz suficientemente alta: "André, vem cá! André... você mesmo... vem cá um pouquinho. Pode ser?". O André era um menino que não perdia nenhuma brincadeira, ainda que fosse meio fraquinho e até devagar. A brincadeira parou. André se assustou e pela sua cabeça passou um rápido "noossa, ele sabe o meu nome", enquanto seus olhos procuravam o irmão mais velho em busca de alguma sinalização. "Tranquilo, André, pode vir. É só um pouquinho", a voz de Jesus já soava de novo e ele dava um passo para fora da roda em direção aos meninos. Aliás, o passo para fora da roda foi acompanhado de um braço estendido a acolher o André, que ainda parecia tomado por uma espécie de susto reticente.

André foi. Devagar. Não tinha como não ir, pois a voz que o chamava era calma e transmitia confiança. André foi, Jesus o acolheu, passou a mão na sua cabeça e levou-o para a roda. Acocorou-se, ficando da altura do André. E se fez um outro silêncio. Silêncio inquieto e profundo. Os outros garotos também se aproximaram, mas na roda não entraram. O irmão mais velho do André chegou mais perto e cruzou os braços para deixar claro que estava de olho bem aberto. Que cena! Estranha, mas tranquila.

André não estava entendendo nada, mas se sentiu tão acolhido por Jesus que estava bem à vontade, mesmo diante dos olhares muito confusos dos adultos. Os outros meninos também pareciam tranquilos e ficaram calados, a não ser um ou outro que soltava uma risadinha a perguntar "o que é isso?". O que aconteceu em seguida foi algo difícil de explicar, e o André pensou: "O que eu vou dizer à minha mãe?". Ele iria tentar.

"Mãe, sabe aquele Jesus que já andou por aqui muitas vezes e que você já foi escutar? Hoje, enquanto a gente brincava, ele me chamou e me colocou na roda daqueles homens que andam com ele. Falou umas coisas difíceis de entender com a cabeça, mas que parece que o coração entende. Eu fiquei tranquilo. Sabe, mãe, até gostei", e a mãe percebeu um bonito brilho nos seus olhos. "Mas aqueles homens que andam com ele", o menino continuou, "pareciam confusos e vi tristeza nos olhos deles. Eu lembro de algumas palavras de Jesus: criança, receber criança. Deus, creio que foi reino de Deus, é como criança." Então André sorriu como a mãe nunca havia visto. "Jesus falou", ele seguiu, "que aqueles homens deviam se converter. O que é isso, mãe?" E acrescentou: "Mãe, entender eu não entendi, mas acho que compreendi tudo. Você entende, mãe?". Agora quem sorria era a mãe, que dizia baixinho: "Isso é coisa de criança que parece saber das coisas de Deus. É... parece que é preciso ser criança para isso. Aliás, isso o pessoal lá da sinagoga também não vai nem entender e nem gostar".

Na hora de ir para a cama o André falou: "Hoje, mãe, eu vou dormir bem. Jesus me chamou pelo nome e me abraçou. Parecia abraço de mãe. Desculpe, melhor que abraço de mãe. Abraço de Deus. Jesus me disse que Deus gosta de criança e a gente nunca deve deixar de ser como criança para entender as coisas de Deus. Mãe, hoje eu vou sonhar com Deus. Boa noite". E ele foi se deitar, enquanto a mãe ouvia o seu coração dizer: "Nunca foi tão fácil para ele ir dormir".

Mas quem não conseguiu dormir direito foram os discípulos. A noite deles foi longa e difícil. Muitas vezes as noites eram como um bonito sonho. Um sonho no qual repassavam as coisas do dia, as coisas que Jesus dizia, o jeito como ele libertava as pessoas de seus demônios... E o seu toque que curava as pessoas de suas muitas doenças alimentava os dias e as noites deles. Dormir não era difícil. Dormir era lembrar. Mas às vezes... E esta foi uma dessas vezes.

A noite já havia caído bem e aos poucos o grupo foi se dispersando, cada um para o seu canto, pois a hora de dormir, de fato, havia chegado. Pelo menos a hora de deitar, pois dormir já era outra história. Agora, deitados, um ou outro foi relembrando e ruminando: *Se alguém quiser ser o primeiro será o último*. Se converter. Se tornar como criança. Entrar no Reino de Deus humilde como uma criança. Receber a criança era receber a Jesus. Nada disso era fácil. Nada disso parecia possível. E nada disso era o que, de fato, se queria. O que se queria mesmo era o que eles vinham conversando no caminho de casa no fim do dia. Ser grande. Ser poderoso. Mandar nos outros. Expulsar demônios. Um ou outro conseguiu pegar no sono com aquele gostinho esquisito na boca que dizia: "O que é que foi isso? Criança!".

Eu também me retirei. Me retirei como um dos outros e a me perguntar: "Será que eu quero isso?". Me retirei na suspeita de que só se passa a entender o que Jesus disse e o que ele espera de nós se quisermos querer. Se o quisermos tornar realidade na nossa vida. Se quisermos a conversão. Aliás, até para isso se precisa do querer de Deus; e então me lembrei de algo que Jesus disse aos discípulos quando eles falaram: *Sendo assim, quem pode ser salvo?* A resposta foi: *Para os seres humanos é impossível; contudo não para Deus, porque para Deus tudo é possível* (Mc 10.26-27, NAA). O contexto era outro e se falava de outra pessoa. Mas hoje o contexto sou eu e eu preciso ouvir exatamente o mesmo. Preciso da experiência com o mistério no qual Jesus põe a criança no nosso meio e diz: *Se alguém quiser acompanhar-me, negue-se a si mesmo, tome a sua cruz e siga-me* (Mc 8.34).

Preciso sonhar com a criança no meio, pois, como disse Dostoiévski, "a alma é curada ao se estar com as crianças". A minha alma precisa ser curada.

A criança no centro

Alguns traziam crianças a Jesus para que ele tocasse nelas, mas os discípulos os repreendiam. Quando Jesus viu isso, ficou indignado e lhes disse: "Deixem vir a mim as crianças, não as impeçam; pois o Reino de Deus pertence aos que são semelhantes a elas. Digo-lhes a verdade: Quem não receber o Reino de Deus como uma criança, nunca entrará nele". Em seguida, tomou as crianças nos braços, impôs-lhes as mãos e as abençoou.

Marcos 10.13-16

Naquela manhã, quando a Débora acordou, ela sabia o que precisava fazer. Ela sabia o que queria fazer: levar as crianças para ver Jesus. Levar as crianças a Jesus, ela disse para si mesma, e sorriu. Um sorriso de várias faces. As crianças pareciam saber o que queriam quando, na noite anterior, antes de dormir, pediram: "Mãe, leva a gente para encontrar Jesus? Por favor!". O "por favor" saiu com força. Irresistível, saiu da boca de todos. Inclusive do menino mais velho, que já se achava grande e não gostava de fazer as coisas com os pequenos e especialmente com as meninas. Então ela lhes prometeu que os levaria a encontrar Jesus, enquanto pensava: "Eles parecem conhecê-lo. O chamam pelo nome. Jesus". Ela também já tinha ouvido o nome dele pela boca de algumas vizinhas. Certa ocasião, numa de suas idas à sinagoga, ela o ouviu falar e percebeu que nele havia algo de diferente. Um vizinho chegou a comentar que "quando ele fala a gente parece que escuta a Deus". Ela, de fato, buscava uma oportunidade de estar perto dele, e levar as crianças era um bom motivo. Motivo para sorrir no silêncio daquela manhã, quando ainda era a única pessoa acordada na casa. Mas o sorriso dela ainda tinha um outro lado.

Ela sabia, e seu marido, seus irmãos e seu pai não a deixavam esquecer, que eles viviam num mundo de homens. Um mundo no qual as mulheres entravam se "convidadas" e, muitas vezes, como "usadas". Um mundo no qual o seu lugar era parir os filhos e servir ao marido. Um mundo no qual as crianças, também elas, precisavam ficar na periferia. Na distância. Era bom tê-las e era bom vê-las, mas o melhor que podiam fazer era calar, escutar e obedecer para vir a ser gente grande no futuro mais adiante. Quanto mais quietas ficassem e quanto mais obedientes fossem, melhor. Jesus era homem e vivia cercado de outros homens. Cercado de vozes masculinas a subirem de volume em seus acalorados debates. Mas as crianças queriam vê-lo. Queriam encontrá-lo. Estranho. Elas pareciam saber algo que ela não sabia. Ela até havia notado um certo brilho nos olhos das crianças quando lhe pediram que as levasse a encontrar Jesus. Diferente esse Jesus, ela pensou. As crianças querem vê-lo. Ele deve gostar de crianças. Será que vai gostar dos meus filhos? Será que vai ter um olhar, uma palavra para mim? Estou precisada. Vamos ver, ela disse, enquanto ajeitava as coisas para a saída com as crianças. Vou levá-las e vou encontrá-lo.

Entrementes o dia já havia clareado e ela já podia abrir a porta dos fundos. Uma porta que dava para um pátio comum com os vizinhos, onde ela guardava algumas coisas, como todos faziam. E foi só sair para o pátio que ela já encontrou a sua amiga Ayala, que também havia levantado cedo. De todas as vizinhas, Ayala era a sua melhor amiga e elas costumavam trocar temperos e confidências, por assim dizer. Assim, não foi difícil dizer "bom dia" para Ayala e logo entrar no assunto: "As crianças me pediram para levá-las a Jesus hoje. Imagine. Levar elas para ver um homem que a gente nem conhece muito bem. Você já esteve perto dele? Conhece? As crianças parecem conhecê-lo melhor do que eu e decidi levá-las. Até estou curiosa. Você não quer vir comigo? Venha com os seus filhos. Ou quer que eu os leve? Será que gostariam de ir?" "Eles vão querer ir", Ayala respondeu rápido. "E se eu der conta das coisas da casa também vou junto", acrescentou, já voltando para dentro de casa, ao ver que a pequena estava acordando. "Preciso ir vê-la", disse, e desapareceu na penumbra mas deixando a porta aberta para que a casa pudesse receber a claridade do sol como registro de um novo dia. Era hora de acordar.

A lida da casa, como todos os dias, era similar aqui e lá. Acordar. Algum asseio. Comer algo. As crianças falando, se estranhando, vindo se agarrar nas pernas da mãe e logo dizendo "lembra do que você prometeu para a gente ontem à noite?". Como esquecer?

A manhã nem havia avançado muito quando as crianças, barulhentas e agitadas, já se puseram a caminho, devidamente seguidas por Débora e Ayala, que até haviam se arrumado um pouco. Algo básico para o meio da semana, ainda que os seus olhos diziam que estavam curiosas para ver o que iria acontecer nesse "atípico" encontro das crianças com esse Jesus. Esse Jesus que havia começado a andar por lá, em Cafarnaum, fazia um tempinho. Como ele havia feito da casa da família de Pedro a sua casa, ultimamente sempre havia gente por lá. Às vezes mais e às vezes menos. E assim, à medida que chegavam perto da casa, aquelas duas mães e seus filhos perceberam que não seriam as únicas a aparecer por lá naquele dia. "Nossa!", as duas disseram uma à outra, com um simples olhar, pois ao se aproximarem foram vendo que havia mais crianças por lá e um certo volume de vozes indicava que algo estava acontecendo. As crianças já haviam se adiantado e se misturavam às outras; e não demorou para as duas notarem que havia um grupo de homens — aqueles que sempre andavam com Jesus — que pareciam querer colocar ordem naquele alvoroço. Mais do que isso, eles estavam incomodados com tanta criança chegando e aquela barulheira caótica. A Ayala chegou a ouvir um deles dizer ao outro, em voz alta: "A coisa hoje vai ficar difícil. Não está fácil controlar essas crianças. Elas atrapalham. Será que elas não têm mãe? Onde estão as mães dessas crianças?". E já se podia ouvir outro deles levantando a voz e dizendo: "Pessoal, mães, vocês podiam cuidar dos filhos de vocês? Isso aqui está uma bagunça!".

As duas ainda estavam tentando montar o quadro dos acontecimentos, com os olhos buscando os filhos, quando viram Jesus chegar. Só podia ser ele. Ele também parecia querer entender o que estava acontecendo, até que, numa questão de segundos, tudo mudou, a começar pela sua fisionomia. Ele ficou sério; elas perceberam. Muito sério. Os olhos se estreitaram e elas o escutaram, com um duro tom de voz, dizer: "Parem com isso! O que vocês estão fazendo? Caramba!". "Nossa", a Débora disse baixinho à Ayala, "ele não gostou nada do que viu." Esta só meneou a cabeça afirmativamente e disse: "O que será que vai acontecer agora?".

O que aconteceu as surpreendeu. E continua a surpreender. Enquanto seus seguidores recuavam ele se acocorou ao lado das crianças, na altura delas, abriu os braços e sorriu.

Quase caiu sentado, mas as crianças adoraram e foram para cima dele. Alguns adultos riram, mas "aqueles homens", amuados, cochichavam. E assim foi por um bom pedaço de tempo; as crianças com Jesus e Jesus com as crianças.

Então ele se levantou. A indignação havia desaparecido de seus olhos. As crianças continuavam ao seu redor, ainda que algumas, mais inquietas, davam uma cutucadinha no colega do lado. Mas Jesus não se importava e falou alto: "Fiquem tranquilos. Deixem as crianças. Elas podem vir todas. Podem vir e ir e vir de novo. Hoje. Amanhã. Sempre. Para elas não tem hora ruim". Então ele disse duas coisas. Duas coisas que nem foram tão fáceis de serem entendidas, ainda mais com essas crianças ganhando tanto sinal verde dele para serem elas mesmas. O que ele disse foi algo mais ou menos assim:

> Eu sempre falo do Reino de Deus, como alguns
> de vocês sabem.
> O Reino de Deus é assim: como estas crianças.
> É simples. É bonito. É solto.
>
> As crianças ensinam o caminho para esse reino.
> Sejam como elas e vocês entrarão nele.
> Senão vão ficar fora.

A coisa toda nem demorou muito e Jesus parecia ter outra agenda para o dia, e já começou a dar um passo adiante. A maioria foi dispersando e as crianças foram as primeiras a sair correndo, enquanto ele ainda trocava uma e outra palavra com alguns adultos. A Débora e a Ayala saíram logo, pois precisavam acompanhar os filhos. Saíram da cena, mas a cena não saiu delas e elas foram repetindo o que haviam ouvido: o Reino de Deus é como as crianças. "Como as crianças", a Débora, repetiu, para logo acrescentar: "difícil entender". "Pois é", disse a Ayala, "estou aqui pensando. E ele ainda disse que precisa receber o Reino de Deus como uma criança. Difícil...", e acrescentou: "Mas não é isso que eu vejo os homens da sinagoga fazendo. Eles parecem mais com aqueles discípulos dizendo, 'saiam daqui crianças! xô!'". "Mas ele fala diferente do que o pessoal lá na sinagoga", a Débora acrescentou. "Esse Jesus eu escutaria mais", ela disse e repetiu: "Reino de Deus, ele disse".

Já haviam chegado em casa e cada uma se encaminhava para a sua cozinha. Então a Débora parou, olhou para a Ayala de um jeito intenso e disse: "Você viu como ele abençoou as crianças? Viu como ele pôs a mão na cabeça de uma por uma, olhou nos olhos delas e ia lhes dizendo algo que fazia as crianças quererem explodir de vida? Você viu como ele foi abraçando uma por uma? Viu como elas saíam correndo como se tivessem recebido um grande presente? Você viu? Será que quando ele fala de Reino de Deus ele está falando disso? Desse jeito de receber as pessoas? Desse jeito de lhes dizer algo que bate no fundo da alma e transforma o rosto? Desse jeito de trazer uma bênção que faz querer mudar de vida? Será que quando ele fala que a gente precisa virar criança, ele está falando disso? Desse jeito de recebê-lo, abraçá-lo e entendê-lo? Desse jeito de ser gente? Jeito solto, cheio de confiança e de esperança. Jeito de... jeito de, como foi que ele disse? Reino de Deus".

"Débora", a Ayala disse, "eu preciso ver algo para essas crianças comerem. Devem estar famintas. E vou ver com elas o que acharam disso tudo. Elas parecem saber. E sabe o quê, Débora, a gente deveria ouvir mais vezes esse Jesus. Andar com ele. Ele parece ser de Deus para nós." E ambas desapareceram cozinha adentro. Mas dentro de sua alma elas diziam: "Eu quero. Eu preciso dessa bênção que faz viver. Eu preciso... ser criança".

A criança. É a criança:
Um mistério

Dois textos e a criança no centro. Dois textos e um grande mistério. Não tem jeito de não os ver, ainda que não se tenha muito jeito de os entender. Especialmente quando a cabeça, movimentada por outra agenda, não os quer ver nem entender. Especialmente quando o poder, a conquista e o controle é que são a agenda que gera a adrenalina a movimentar o pulsar das ambições e o ritmo dos passos. Dois textos a nos indicar a necessidade de conversão — do coração e dos passos. Ou melhor, a necessidade de uma conversão que leve à gestação de uma outra agenda. A agenda na qual *se alguém quiser ser o primeiro, será o último, e servo de todos* (Mc 9.35).

Dois textos e dois grandes silêncios. O primeiro silêncio é constrangido. Ele é típico de quem está tendo muita dificuldade de aceitar a conversa de Jesus quanto ao exercício do poder e quanto a um jeito de viver onde se quer ser o menor e não o maior, o último e não o primeiro. Esse é o silêncio nutrido pela perspectiva adultocêntrica. Uma perspectiva que tem uma dificuldade enorme de abandonar o primeiro lugar e o exercício do poder desde o viés do controle e da exclusão. Uma perspectiva que afasta as crianças porque elas não entendem das coisas que nós, adultos construtores de sociedades e cidadanias, entendemos, e até atrapalham as nossas conversas, acordos e conluios. Um silêncio constrangido ao qual Jesus submeteu os discípulos em mais de uma ocasião. Mas eles não foram embora como o jovem rico que, abatido, *afastou-se triste, porque tinha muitas riquezas* (Mc 10.22). Eles ficaram e disseram: *Senhor, para quem iremos? Tu tens as palavras de vida eterna* (Jo 6.68). Eles ficaram, mas tiveram enorme dificuldade de se converter. O constrangido silêncio lhes ficou preso na garganta, ainda que Jesus deles não tenha desistido.

O outro silêncio é de encanto. É o silêncio que sussurra uma palavra que diz, como no caso dos discípulos de Emaús: *Não estava queimando o nosso coração, enquanto ele nos falava no caminho e nos expunha as Escrituras?* (Lc 24.32). À medida que ele abençoava as crianças, para voltar aos nossos textos, e estas lhe devolviam o gesto com um sorriso, os discípulos iam integrando o próprio Jesus em suas vidas, ainda que houvesse muitas dificuldades e conflitos no caminho. A cena da criança no meio precisava ficar com eles e nela eles precisavam continuar a meditar, pois então haveria esperança no horizonte. E dessa esperança eles se tornaram testemunhas quando, algum tempo depois, foram levados pelo Espírito Santo a entender e anunciar aquilo que Pedro não havia entendido de fato quando disse *Tu és o Cristo*.

Assim fazemos teologia de olho na criança: no silêncio que gera escuta. Uma escuta na qual nasce a decisão de seguir a Jesus. Fazemos teologia como escuta ao inevitável chamado à conversão, pois sem esta não há nenhum seguimento que se transforme em opção e caminho de vida. Precisamos de uma conversão que olhe nos olhos da nossa cultura, com os seus valores de conquista, sucesso, competitividade e controle, para os negar e denunciar. Uma conversão que nos leve a discernir essa cultura que discrimina, exclui, subjuga e explora, como visto especialmente na vida das crianças, que acabam sendo o elo mais frágil desta nossa construção adultocêntrica. Essa construção que adquire visibilidade no ato dos discípulos repreendendo as crianças que querem chegar até Jesus, e ao que ele responde com indignação.

Esse chamado à conversão desenha diante de nossos olhos uma "ecologia humana", para usar uma expressão de Frances Young, que destaca que o que nos torna realmente humanos é a "capacidade de pedir ajuda".[1] A ajuda que necessitamos para encontrar-nos com nós mesmos, com o outro e com Jesus. Uma ajuda que nos leva a ser encontrados pelas crianças, pois estas nos mostram e dizem que "o rei está nu", como no clássico de Hans Dietrich Anderson "A roupa nova do imperador". Nesse conto, toda uma montagem é feita quanto à confecção ilusória de sofisticadas roupas para o rei. Roupas que os tolos não poderiam ver. Constrói-se toda uma corrente de admiração — enganosa, é claro — a essas roupas, iludindo inclusive o próprio rei. Até que uma criança, em toda a sua inocência e em pleno desfile real, grita: "Olha, olha! O rei está nu!". Então a ilusão ruiu e a máscara caiu.[2] Diante de Jesus, com a criança no meio,

---

[1] Frances Young, *Arthur's Call: A Journey of Faith in the Face of Severe Learning Disability* (Londres: SPCK, 2014), p. 143.
[2] "Conto de fadas: O rei está nu!", *Coisa de criança* (blog), 21 de agosto de 2022, <https://virtudesaqui.blogspot.com/2022/08/conto-de-fadas-o-rei-esta-nu.html>.

também a nossa ilusão rui e a nossa máscara cai e descobrimos que estamos nus.

Assim fazemos teologia de olho na criança: no silêncio que gera a escuta da voz do Cristo. Uma voz que nos chama para fora das nossas agendas e para longe daquilo que elas produzem, com os seus sinais de desconstrução, opressão e morte, e nos convida para um outro jeito de viver. Uma voz que nos convida para aquilo que Jesus chama de Reino de Deus e que gesta em nós uma humanidade dignificada e compartilhada. Uma humanidade com rosto de criança, com sua confiabilidade, seu sorriso simples e seu prazer de ser abençoada. Uma humanidade que se encontra nos braços do Cristo, tal como as crianças o experimentaram.

Desse Reino a criança é símbolo. E se percebermos em nós algum desejo de fazer parte dele vamos nos encontrar na fila, com a criança, no desejo de receber a bênção de Deus. E à medida que permitimos que esta bênção entre em nossa vida vamos nos perceber soletrando *Reino de Deus*. Um reino no qual Cristo é o centro e a criança está ao seu lado. É algo como fazer teologia de olho na criança. Teologia como mistério.

4
DEUS FALA COM A CRIANÇA
E a criança fala conosco

Deus está em casa.
Somos nós que saímos para dar uma volta.
MESTRE ECKHART

As crianças não se conformam com este mundo.
RUBEM ALVES

Em seu livro *He Speaks in the Silence* [Ele fala no silêncio], a autora Diane Comer fala de sua experiência com uma gradual perda auditiva. Foi, para ela, um processo longo, difícil e irreversível no qual o silêncio, com suas muitas consequências, foi se instalando dentro dela. Ainda jovem, aos 26 anos, após dar à luz o quarto filho, ela começou a conviver com os primeiros sinais da perda auditiva. Ademais, o fato de ser esposa de pastor não a ajudou na crescente percepção de não conseguir entender o que as pessoas estavam dizendo, gerando nela uma tendência para o isolamento e impactando drasticamente o seu espaço ministerial, do qual ela se sentia e sabia parte. Ela queria e precisava ouvir para entender, conviver e se sentir parte da comunidade; e exatamente isso ela estava perdendo, ainda que anos mais tarde viesse a recuperar alguma audição através de um implante coclear. Em seu livro Diane descreve a difícil jornada para a surdez, para o silêncio que isola e acaba gerando a experiência do isolamento e até da discriminação. Diane se encontrou com o silêncio da surdez que entristece e machuca a vida.[1]

[1] Diane Comer, *He Speaks in the Silence: Finding Intimacy with God by Learning to Listen* (Grand Rapids, MI: Zondervan, 2015).

Um dos textos que trago para a nossa conversa, neste capítulo, fala do silêncio. De um tipo de silêncio. Um silêncio de palavra e um silêncio de escuta. Um texto que retrata um momento que, na história do povo de Israel, ainda era de afirmação da identidade nacional; e então se diz que *naqueles dias raramente o* Senhor *falava, e as visões não eram frequentes* (1Sm 3.1). As diferentes tribos que compunham o povo de Israel viviam um momento de crise. Uma crise de liderança, visível na cansada vida de um sacerdote, chamado Eli, que, na época, também atuava como uma espécie de juiz do povo. A crise se acentuou em função da malfadada transição que ele fez, passando o seu posto sacerdotal para os filhos, que consideraram o sacerdócio como *status* de poder e força e acabaram sendo rejeitados pelo povo. Havia ainda uma crise político-econômica na qual os povos vizinhos ameaçavam as tênues fronteiras e saqueavam as colheitas sem que encontrassem uma defesa forte e articulada por parte das lideranças de Israel. E uma crise religiosa, da qual os filhos de Eli são protagonistas ao dessacralizarem os sacrifícios cúlticos, praticarem a prostituição e explorarem o povo inclusive com ameaças de violência. Uma crise diante da qual Deus responde com o seu silêncio. Um silêncio provocado pela surdez da liderança sacerdotal. Um silêncio que se instala pela falta de eco à palavra do próprio Deus, produzindo um triste quadro de desconstrução e desintegração de um povo que encontrava na voz de Deus a sua identidade, o seu senso comunitário e a sua vocação histórica. O silêncio de Deus era a desagregação do povo. Era o caminho da morte do próprio povo.

O texto que trago para a conversa rompe com essa bolha de silêncio e o faz de forma surpreendente: Deus toma a iniciativa e fala com um menino. Deus fala com o menino e através dele. Sua idade nem sabemos, mas seu nome é Samuel. E sabemos que sua mãe, depois de desmamá-lo, o deixou aos cuidados do sacerdote Eli, em resposta a um voto que havia feito a Deus. Ela, uma mulher originalmente estéril, havia recebido o menino de Deus, como ela mesma diz, e a Deus o estava devolvendo. O menino acabou sendo de valiosa ajuda ao idoso e já cansado Eli e com este ele aprendeu a servir no exercício sacerdotal junto ao local de culto, em Siló, onde também viviam. Foi ali que o menino recebeu a palavra de Deus, e esta nunca mais o largou e nem ele largou dela. A coisa toda foi meio atrapalhada, como não poderia deixar de ser, pois, como conta a narrativa, *Samuel ainda não conhecia o* Senhor. *A palavra do* Senhor *ainda não lhe havia sido revelada* (1Sm 3.7). Quando a palavra de Deus, que era também a presença de Deus, voltou a ecoar, ela foi escutada e acolhida por Samuel, e assim foi enquanto ele crescia e se encaminhava para a vida adulta. E assim Samuel foi introduzido no caminho de um sacerdócio no qual exerceria liderança pelo resto da vida. Numa palavra de indescritível beleza e profundidade o texto diz que *todo o Israel, desde Dã até Berseba, reconhecia que Samuel estava confirmado como profeta do* Senhor. *O* Senhor *continuou aparecendo em Siló, onde havia se revelado a Samuel por meio de sua palavra* (1Sm 3.20-21).

O silêncio é quebrado e Deus fala com um menino. E é no menino que ele encontra escuta e seguimento, rumo à construção de um novo momento na história do seu povo. Deus rompe o silêncio da surdez — a surdez de quem se nega a escutar — e nesse rompimento nasce uma nova escuta e dessa escuta brota uma nova intimidade: Deus fala com um menino e o menino responde a Deus.

No livro anteriormente mencionado a Diane nos permite entrar no difícil mundo que a levou ao encontro da surdez. Ela o faz sem esconder a conflitividade e a dor inerente a essa jornada, assim como ela não esconde a sua descoberta de uma outra escuta: a descoberta de que Deus estava com ela em todo o processo e lhe proporcionou essa escuta. A escuta de Deus que fala no silêncio e rompe o silêncio, ainda que nem sempre queiramos, e ainda que não seja fácil discernir a sua voz. Dessa escuta do Deus que fala no silêncio nasce uma intimidade que abre novos horizontes de vida. De uma forma muito particular Diane diz assim: "Ouvi-lo agora é meu maior deleite. Todas as manhãs, antes que o mundo desperte, eu o encontro no silêncio. Abro minha Bíblia, pego minha caneta e espero pelas palavras, convidando-o a falar comigo, escrevendo o que ouço. Trago minhas dores honestas a ele, minhas esperanças, meus medos, toda a angústia que não consigo controlar sozinha. Eu adoro, procuro sabedoria. Eu espero".[2]

E assim Deus fala com a Diane. E assim Deus falou com Samuel. E assim Deus continua a falar, no pressuposto de que se queira ouvi-lo. Como dito anteriormente quando nos referimos ao que Efrém, o Sírio, nos ensina, Deus fala conosco em nossa linguagem para que ele possa nos levar a andar nos caminhos que ele tem preparado para nós.[3] Assim aconteceu com Samuel e assim Samuel liderou o povo para que Deus

---

[2] Ibid., p. 194.
[3] Ver Pui Him Ip, "Putting on humanity: St. Ephrem the Syrian on theological language", <https://www.academia.edu/26303523/Putting_on_humanity_St_Ephrem_the_Syrian_on_theological_language>, acesso em 16 de dezembro de 2022.

fosse escutado e para que essa sua palavra fosse a guia pela qual o povo iria não apenas sobreviver, mas florescer.

A voz de Deus é a voz de Deus. Bonita. Assustadora. Misteriosa. Ela é uma voz da qual se fala em parábolas, metáforas e imagens, pois é a voz do Eterno a caber em "vasos de barro".

Ela é bonita como a flor do cacto que brota na noite e se faz presente pela manhã: uma flor que raramente brota e se faz presente por um dia. A voz de Deus é como a flor do cacto cuja beleza precisa querer se ver.

Ela é assustadora. Nos tira dos trilhos e o nosso trem desaba. A estrada acaba e o carro encalha. A luz vai embora, o caminho desaparece e o medo consome e paralisa. *Louco!*, ela ressoa, *esta noite lhe pedirão a sua alma; e o que você tem preparado, para quem será?* (Lc 12.20, NAA).

Ela é misteriosa. *A sua voz ressoa por toda a terra,* diz o salmista, e chega *até os confins do mundo,* sem que haja linguagem, nem palavras, nem som (Sl 19.3-4). Ela é tão misteriosa que carece ser expressa em poesia, imagens e metáforas para ser percebida e abraçada. Ela é expressa em parábolas, como fazia Jesus, pois para entendê-la é necessário ter ouvidos que queiram ouvir, para não acontecer que *vendo, não vejam; e ouvindo, não entendam* (Lc 8.10).

Ela é tão misteriosa que, como a Diane conta em seu livro, Deus fala com ela em meio à surdez e apesar desta. Pois Deus fala no silêncio, em silêncio e no silêncio o escutamos.

A voz de Deus é assim. Pronunciada por anjos ela é ouvida por alguns poucos pastores no campo. Movimentando os céus ela se torna realidade no menino na manjedoura (Lc 2.9-17). Faz-se visível numa estrela e leva à adoração a esse mesmo menino, como aconteceu com aqueles magos do oriente (Mt 2.1-11).

A voz de Deus é ouvida, vista e discernida de diferentes maneiras e com diferentes sustos. Discernida em visão, os céus se movimentam em danças que só a poesia consegue descrever, despertando no visionário um acolhedor terror e produzindo nele um indescritível senso de inadequação, indignidade e desmerecimento. Uma experiência respondida aos gritos, como nos disse o profeta: *Então gritei: Ai de mim! Estou perdido! Pois sou um homem de lábios impuros e vivo no meio de um povo de lábios impuros; os meus olhos viram o Rei, o S*ENHOR *dos Exércitos!* (Is 6.5).

A voz de Deus é assim. Ouvida na noite, ela é discernida pela manhã. Percebida como susto, ela traz paz. Desconstruindo rotas, aponta caminhos. Nascendo nas entranhas ela brota em novos passos, opções e relações.

No entanto, discernir que Deus está falando não significa acolher o que Deus está dizendo e pode levar a processos nos quais a vida, individual e coletiva, se vê fora dos trilhos que nos mantêm no rumo da adoração a Deus, do cuidado com o outro e na construção de uma cidadania bonita e sólida. O livro de Zacarias descreve um momento no qual Deus orientava o povo a administrar a justiça, mostrar misericórdia e compaixão mútua, mas que teve uma resposta oposta: *Mas eles se recusaram a dar atenção; teimosamente viraram as costas e taparam os ouvidos. Endureceram o coração e não ouviram a Lei e as palavras que o* S*ENHOR dos Exércitos tinha falado pelo seu Espírito por meio dos antigos profetas. Por isso o* S*ENHOR dos Exércitos irou-se muito* (Zc 7.11-12). Endurecer o coração é, muitas vezes, a resposta que se dá à voz de Deus. Uma resposta que produz o silêncio de Deus.

Ouvir a voz de Deus e querer ouvir a voz de Deus requer algo que se poderia chamar de "sintonia fina", e não de "casca grossa". A sintonia do coração que tem a disponibilidade da escuta. A sintonia que se dispõe a transformar essa voz em ação prática de obediência. A palavra que Deus pronuncia carece ser ouvida e obedecida, pois ela nunca é nem abstrata, nem objeto de consumo a gerar bem-estar religioso. A palavra que Deus pronuncia carece ser pronunciada, pois ela é geradora de novos desenhos na caminhada da vida, para si e para o outro. Ela é surpreendentemente transformadora e se enraíza e espalha como testemunho.

As crianças modelam e nos ajudam a encontrar o caminho dessa "sintonia fina", e a narrativa do Samuel aponta nessa direção.

O outro texto que trago para a nossa conversa nos leva a encontrar uma outra criança, que aqui identificamos como "a Menina Sem Nome". Com ela vamos perceber que a voz pronunciada por Deus tem uma intencionalidade testemunhal. Essa menina é, como tantas vezes acontece, vítima de um conflito de adultos que é, neste caso, político-militar. O rei de Israel e o rei da Síria, mobilizando seus exércitos, sábios e profetas, vivem às turras, como se vê nos livros de 1 e 2Reis; e a menina acaba sendo um dos trunfos do exército vitorioso, que é o exército da Síria. É para lá que ela é levada como despojo de guerra, passando a ser escrava na casa de Naamã, o poderoso comandante do exército sírio.

Assim foi ontem e assim é hoje. Forças políticas, militares e econômicas movem-se para lá e para cá, ora querendo acumular poder, ora em busca de sobrevivência, mas sempre causando muitas vítimas. E a Menina Sem Nome é uma delas. Não lhe é nada fácil discernir o que está acontecendo com ela, e o que ela tem é uma enorme saudade de casa, da família, das amigas. O que ela tem é um medo pavoroso em meio aos corredores, vozes e cheiros daquele estranho lugar onde ela foi depositada como escrava. Num esforço enorme para sobreviver, ela decide por alguns movimentos básicos de adaptação: aprender algo da língua local, da cozinha, do vestuário e do jeito de as pessoas se relacionarem. Ainda bem que a patroa da casa parece que gosta dela, permitindo-lhe alguma aproximação. Num dia desses, quando ela sente, de forma especial, o ambiente pesado que se instalou na casa e percebe algo do que está acontecendo, ela se enche de coragem e diz à patroa: *Se o meu senhor procurasse o profeta que está em Samaria, ele o curaria da lepra* (2Rs 5.3).

A crua realidade da vida, como sabemos, insiste em atrapalhar a lógica do poder e quebra o mito da inacessibilidade e da invencibilidade. O fato é que o grande Naamã, comandante do poderoso exército da Síria, foi acometido de lepra. Uma trágica doença que o leva ao ostracismo e que tem a morte como o seu antecipado veredito. O seu mundo rui, o seu comando se vulnerabiliza, a sua posição na estrutura de governo se inviabiliza e o seu futuro é absolutamente assustador. É diante desse quadro tenso e pavoroso que a Menina Sem Nome se atreve a pronunciar uma palavra. Uma palavra surpreendente que encontra uma surpreendente escuta. Uma palavra que aponta numa direção inimaginável, gerando uma resposta inesperada. Uma palavra que desencadeia um movimento que leva o poderoso Naamã a procurar o tal do profeta, num país pequeno e recém-conquistado. Uma palavra que o leva a descobrir a realidade de um outro Deus, chegando, mais tarde, a dizer: *Agora sei que não há Deus em nenhum outro lugar, senão em Israel* (2Rs 5.15).

A narrativa que esse texto nos apresenta é longa e detalhada. São mais detalhes do que queremos incluir em nossa conversa, pois aqui o que se propõe é escutar a voz da menina. A Menina Sem Nome que abre as janelas para uma nova experiência e uma nova esperança. A Menina Sem Nome que sabe de algo que ninguém na poderosa Síria sabe. A Menina Sem Nome que fala de Deus e daquilo que Deus quer e pode fazer, e o faz através dela.

O Samuel e a Menina Sem Nome são parceiros nesta aventura na qual se escuta a Deus e se fala de Deus de um jeito tal que a vida já não é a mesma, a realidade é transformada e a esperança encontra um novo ninho no sombrio universo de um mundo onde habitam as nossas lepras e onde nós nos desagregamos em meio ao silêncio de Deus.

Deus fala com um menino e uma menina sem nome nos fala de Deus. Eles nos ensinam o jeito de fazer teologia e por isso fazemos teologia de olho na criança.

"Então o Senhor chamou Samuel"

> *O menino Samuel ministrava perante o Senhor, sob a direção de Eli; naqueles dias raramente o Senhor falava, e as visões não eram frequentes.*
>
> *Certa noite, Eli, cujos olhos estavam ficando tão fracos que já não conseguia mais enxergar, estava deitado em seu lugar de costume. A lâmpada de Deus ainda não havia se apagado, e Samuel estava deitado no santuário do Senhor, onde se encontrava a arca de Deus. Então o Senhor chamou Samuel.*
>
> *Samuel respondeu: "Estou aqui". E correu até Eli e disse: "Estou aqui; o senhor me chamou?"*
>
> *Eli, porém, disse: "Não o chamei; volte e deite-se". Então, ele foi e se deitou.*

> *De novo o* Senhor *chamou: "Samuel!" E Samuel se levantou e foi até Eli e disse: "Estou aqui; o senhor me chamou?"*
>
> *Disse Eli: "Meu filho, não o chamei; volte e deite-se".*
>
> *Ora, Samuel ainda não conhecia o* Senhor*. A palavra do* Senhor *ainda não lhe havia sido revelada.*
>
> *O* Senhor *chamou Samuel pela terceira vez. Ele se levantou, foi até Eli e disse: "Estou aqui; o senhor me chamou?"*
>
> *Eli percebeu que o* Senhor *estava chamando o menino e lhe disse: "Vá e deite-se; se ele chamá-lo, diga: 'Fala, Senhor, pois o teu servo está ouvindo'". Então Samuel foi se deitar.*
>
> *O* Senhor *voltou a chamá-lo como nas outras vezes: "Samuel, Samuel!" Samuel disse:*
>
> *"Fala, pois o teu servo está ouvindo".*
>
> *E o* Senhor *disse a Samuel [...]*
>
> 1Samuel 3.1-11

Aconteceu numa noite dessas e tudo mudou. Ao anoitecer tudo estava bem. Bem normal. Quando amanheceu tudo estava de "pernas para o ar", ainda que as coisas estivessem no seu devido lugar, com exceção das camas muito amassadas, pela noite mal dormida. O jeito do menino e o silêncio do velhinho não deixavam dúvida: algo havia acontecido. Um divisor de águas. Veja como foi.

Quando o sol começou a se pôr o menino Samuel entrou no modo rotina. Naquela casa, afinal, muita coisa dependia dele, pois o velhinho Eli, com quem ele vivia, precisava cada vez mais de ajuda. Eli vivia ali havia muito tempo e era conhecido e lembrado em toda a região. Sendo ele o sacerdote, que também exercia a função de guia e juiz das diferentes tribos que compunham o povo de Israel e funcionavam como uma espécie de nação-condomínio, não podia ser diferente. No papel de "sacerdote-juiz" ou "juiz-sacerdote", dependendo das circunstâncias, Eli era, ou melhor, havia sido uma pessoa-chave no tecido social da nação. Com a idade chegando, ele foi passando sua "função" aos filhos; mas entre um vocacionado e um executor de tarefas havia uma diferença que ele precisaria ter percebido. As coisas passaram a não ir bem, nem com ele, já demasiado cansado para a função, nem com os filhos, que estavam mais preocupados em tirar proveito da "função", gerando preocupação nos demais líderes e desconforto no próprio povo, que estranhava demais a "volúpia sacerdotal" daqueles "filhos do Eli".

As coisas também não iam bem com Deus, e disso Eli sabia, ainda que esta não fosse uma preocupação dos filhos. Ele já tinha percebido que havia, da parte de Deus, um silêncio que falava bem alto. Aliás, quando Deus falou a coisa não foi boa. Quando aquele *homem de Deus* veio vê-lo e lhe trazer uma palavra, Eli ficou ainda mais tenso. Ele o advertiu quanto às trágicas consequências, para ele e para toda a sua família, se tudo continuasse do jeito que estava e se os seus filhos não emendassem os seus caminhos. Eli já não sabia mais o que fazer. Ele havia conversado com os "meninos" mas estes já não o escutavam, e enquanto o seu corpo foi ficando cansado a sua alma foi ficando triste. Uma tristeza ampliada por esse abandono pelo qual os filhos lhe diziam que não se importavam nem com Deus, nem com ele. Ainda bem que havia esse outro menino que estava sempre ao seu lado, ajudando-o de tantas maneiras possíveis e necessárias. Menino valioso, ainda que bem menino. E assim foi-se vivendo num cansativo chove-não-molha do qual este dia, que chegava ao fim, era só mais um. Era só mais um de uma série de dias nos quais a crise de liderança e de espiritualidade ia corroendo a identidade e instabilizando a sobrevivência do próprio povo de Israel.

O menino fez o que sempre fazia. Levou a leve comida do entardecer ao cansado sacerdote, que sentado em sua cadeira a comeu devagarinho. Enquanto isso o garoto foi fechando as portas da "casa do Senhor", esse lugar de adoração a Deus e celebração comunitária. A seguir e já em meio à penumbra, ajudou o velhinho a se deitar em sua cama, para logo ouvir o que este dizia todas as noites, "ah, Samuel, o que eu faria sem você?", deixando passar um leve sorriso nos lábios. Samuel ainda disse algo como "depois venho ver se o senhor precisa de alguma coisa" e foi cuidar das últimas tarefas do dia.

Então, naquela noite, quando Samuel também já estava ajeitado no seu canto, tudo aconteceu. Deus falou e ele ouviu. Deus chamou e ele respondeu. A coisa foi um tanto atrapalhada, pois lhe faltava a experiência para essas escutas. Mas no final ele sabia. E o velhinho, que dormia noutro quarto, também sabia: Deus falou com o menino. Depois de tanto tempo, Deus falou.

A vida de Samuel nunca mais foi a mesma. Ele havia sido marcado para o resto dos seus dias e estes seriam muitos, pois ele envelheceu dando continuidade à palavra que foi ouvida e absorvida naquele dia. Aliás, a partir daquele dia Deus falou com ele muitas vezes e ele acabou se tornando o que Tiago, muitos anos mais tarde, falou de Abraão: um *amigo de Deus* (Tg 2.23). As consequências dessa palavra de Deus, que continuou a lhe chegar no decorrer dos anos, se pôde perceber não apenas na vida de Samuel e de Eli, mas de todo um povo que acabou recebendo uma nova palavra, uma nova liderança e uma nova experiência, tanto espiritual como de caráter econômico e geopolítico. Samuel veio a se tornar o que Eli havia sido e deixado de ser, ainda que com muito mais ênfase, clareza e intensidade, em meio a outra configuração histórica. Durante as décadas que se seguiram, nas quais Samuel se tornou uma espécie de profeta-andarilho, ou seria um juiz-sacerdote?, ele falou muitas vezes daquilo que havia acontecido naquela noite. Por vezes, um ou outro detalhe se destacava, mas o centro era sempre o mesmo, e ele dizia: "Imaginem! Eu era um menino e Deus falou comigo. Vou lhes contar como foi".

Samuel falou dessa sua experiência muitas vezes. Era importante não esquecer como tudo aconteceu. Contar de como foi dormir, naquele dia, na mesma hora e no mesmo local de sempre. Contar, em suas palavras, de como começou a perceber que havia uma voz que o chamava e o chamava pelo nome: *Samuel!* Aquela voz era tão real que ele respondeu dizendo *Estou aqui* e logo correu até onde Eli descansava, pois este certamente o chamava. E assim ele foi e voltou três vezes, até ser convencido por Eli de que não o estava chamando e dele não estava precisando.

Os anos passaram, mas sempre que ele chegava a essa parte da história se percebia que Samuel dava uma engasgada e um sorriso aparecia nos seus olhos, pois a memória daquela experiência nunca deixou de lhe aquecer o coração. Depois do vai e vem a Eli, este discerniu o que estava acontecendo e o instruiu quanto ao que deveria fazer se a voz voltasse a chamá-lo. Diga assim, Eli lhe disse: *Fala, SENHOR, pois o teu servo está ouvindo.* E assim ele fez e assim ouviu a Deus, numa memorável primeira experiência, e prestou muita atenção ao que este tinha a lhe dizer.

À medida que Deus foi falando com ele, no decorrer dos anos, a sua identidade foi sendo amalgamada e ele foi se tornando um homem que ouvia a Deus e pautava a sua vida por aquilo que dele ouvia. Mas o começo foi difícil. Bem difícil: ele precisava contar a Eli a palavra que Deus havia lhe dado. Uma dura tarefa com uma dura palavra, especialmente para um menino. Uma palavra que confirmava o que Eli temia e que significava que Deus estava estabelecendo uma interlocução com alguém outro — com um menino. O povo carecia de uma liderança que o levasse aonde nem Eli nem os seus filhos o estavam levando: um caminho de adoração a Deus e o estabelecimento de uma identidade que havia sido semeada fazia muitas décadas, numa outra conversa de Deus, desta vez com o fugitivo Moisés. É verdade, não foi à toa que a cama do Samuel amanheceu tão amarrotada naquela manhã. E amarrotada também estava a cama do Eli, pois o que Samuel lhe disse foi o que ele já dizia para si mesmo em meio a um desânimo que o paralisava e o deixava sem forças para fazer algo a respeito desse marasmo no qual se encontrava.

A história é longa, e às vezes Samuel parecia perder o rumo e entrar em algum detalhe que o fazia perder a sua audiência. O mesmo pode acontecer conosco hoje, ao relembrarmos a história. Por isso voltamos ao centro dela: nessa narrativa encontramos um sacerdote que já não consegue exercer sua vocação. Cansou. Desanimou. Encontramos os filhos que mercantilizaram a vocação sacerdotal, herdada do pai, e abusaram da comunidade que havia sido confiada a ele. Encontramos um povo carente de liderança e vivendo desencontros na construção de sua identidade e fragilizados em sua relação com os povos vizinhos, com tudo o que isso significa em termos de fronteiras, espaço e relações diplomáticas e até beligerantes. É nesse momento que a narrativa nos coloca diante de um mistério: Deus fala com um menino para dar continuidade à formação de um povo que tivesse a sua marca e viesse a ser uma bênção às nações. Um menino com quem Deus conversa. Um menino que ouve e entende a Deus. Um menino que segue a direção da palavra que ouve. Um menino que emerge no cenário de um povo em crise, enquanto a luz sacerdotal do velho Eli está se apagando de forma melancólica. Um menino.

Toda boa teologia precisa abraçar este mistério e caminhar neste foco: ouvir a voz de Deus como semente de bênção às nações. Ela precisa praticar uma contínua revisão de foco e coração para não cair, nem nas mãos adormecidas de teólogos que se consideram impotentes e cansados, nem nas mãos de mercantilistas que pensam que se pode fazer da teologia um produto de exploração do outro e acumulação de benefícios próprios. Pois neste caso o nosso destino será igualmente trágico e destrutivo, como foi o de Eli e seus filhos. Destino este que não foi outro senão a própria morte. E toda teologia precisa se encontrar em atitude de escuta e não fechar as portas, nem para o mistério da revelação, nem para os caminhos de uma prática obediente. Esses são um antídoto a um silêncio de Deus que acaba sendo testemunha da nossa surdez intencional e operacional. A nossa surdez é o silêncio de Deus, mas o menino diz: *Fala, pois o teu servo está ouvindo.*

É importante lembrar: Deus não fica sem escuta, pois ele tem palavra. Em resposta ao silêncio da surdez, Deus fala com o menino e o menino ouve. Essa é uma história que os adultos precisam ouvir para não se tornarem surdos.

"Eli, o que aconteceu?"

Uma profunda tristeza tomou conta de Eli. Tristeza da alma. Tristeza dos filhos. Tristeza dele mesmo. Aconteceu com ele o que não podia ter acontecido. Por tanto tempo ele havia cuidado daquele lugar de culto e de encontro da comunidade. Ele havia dado do seu melhor e tudo foi bem por um bom tempo; Deus estava com eles e ele estava com Deus. À medida que foi envelhecendo ele colocou os olhos nos filhos como seus sucessores e foi lhes repassando a cultura e a prática do sacerdócio. Eles foram pegando o jeito e ele até ficou grato. Mas o que ele não queria aceitar aconteceu com "os meninos". Para eles o sacerdócio era coisa externa e não interna. Era um trabalho que não apenas oportunizava a sobrevivência, mas abria a porteira para uma boa vivência. Aos poucos, Eli foi percebendo que o controle lhe estava saindo das mãos e alguns de seus velhos amigos começaram a lhe dizer que as coisas não andavam bem: "Os meninos estão fora de controle", diziam. "Não estão fazendo bem as coisas e estão se aproveitando do sacerdócio. Você precisa fazer algo." Ele até tentou falar com os filhos, mas logo percebeu que não apenas estava falando sozinho, mas estava falando sem força. Sem a força que produz a escuta.

Então veio a noite da tristeza e tudo passou diante dele, ainda que seus olhos já não vissem muita coisa. Foi a noite em que o menino, o novato menino Samuel, veio ao seu quarto três vezes dizendo que ele o havia chamado. Eli suspeitou do que estava acontecendo e quando o menino não voltou mais, ele sabia. Ele soube como saudade. Agora Deus estava falando com o menino e não com ele. E a tristeza que veio dessa vez nunca mais foi embora. A tristeza profunda se instalou naquela interminável noite escura. A escuridão da noite foi acompanhada pela escuridão da alma, sob o testemunho dessa boca seca e amarga. Amargura da alma, cansaço do coração e pernas bambas.

Ao amanhecer o corpo doía, mas ele sentia que a alma, num rasgo de luz, queria que ele soubesse de algo. Que ele soubesse e abraçasse o novo que havia acontecido. O ar parecia cantar. A claridade já invadia todos os cantos, pois o menino havia aberto as portas e as janelas. A claridade queria muito invadir também a sua alma. A claridade de um novo tempo. Ele levantou, devagar, cuidadoso, enquanto os olhos cansados procuravam pelo menino. Procurava pelo menino que já não era o mesmo. Definitivamente, o menino já não era o mesmo e quando, naquela manhã, ele o encontrou, não havia mais nenhuma dúvida, se alguma dúvida ainda houvesse. Deus havia falado com o menino. Com o menino.

Ainda que fosse difícil enxergar, ele discernia no rosto do menino um brilho e um sorriso e ele lembrou que era exatamente isso que a voz de Deus fazia com a gente. Deus fala e o rosto brilha. Deus fala e o semblante sorri. Deus fala e o olho, arregalado, se assusta. Isso era tão verdade quanto inexplicável, e Eli o confirmou no tato do discernimento. O menino caminhava mais leve, mais firme e assoviava. Mas também parecia evitá-lo, e Eli percebeu no coração uma doída curiosidade: O que será que Deus falou com ele? Quanta diferença: Deus havia falado com o menino e não com ele. Agora ele precisava ir atrás do menino para saber o que Deus havia falado. Quanta ironia! Ele queria saber, isso ele sabia, mas tinha medo de saber. Então ele chamou o menino e pelo compasso do seu passo ele sabia o que o menino precisava lhe dizer. A coisa não estava bem. Nem com ele. Nem com os filhos. Nem com o sacerdócio. Nem com o povo e nem a sua relação com Deus.

Então eles conversaram como nunca haviam conversado. "Me diga, Samuel, me diga tudo o que eu já sei", disse o velho sacerdote. "Infelizmente, eu já sei." E o menino lhe contou tudo.

À medida que o menino falava as lágrimas foram chegando. Primeiro elas foram engolidas e depois já não foram escondidas. Lágrimas de dor. Lágrimas de lamento. Lágrimas de saudade. Lágrimas que apontavam para um tempo que se encerrava de forma melancólica e no qual ele havia sido uma personagem central. A personagem que não deu conta do recado. Deus já não falava com ele, e uma solitária e arrependida dor invadiu o seu ser de um jeito que nada nunca havia feito. E ele se percebeu morrendo envolto numa tragédia que anos mais tarde encontraria o seu desenho histórico. Mas isso não era tudo, pois via nascendo dentro de si uma oração que dizia: "Deus falou com o menino, graças a Deus!".

Enquanto o menino lhe contava o que lhe havia acontecido ele percebeu que um novo capítulo estava começando na história do seu povo. Um capítulo que terminava de forma amarga para ele, mas começava de forma alvissareira para o menino e para o próprio povo. Deus, afinal, não ficava sem ouvido e sem interlocutor para a sua palavra. E um escondido sorriso de gratidão encontrou algum espaço dentro dele e sussurrou: "Deus é bom. Olhe só! Eu até consegui ensinar para o menino o jeito de escutar e responder a Deus. O velho ainda serve para alguma coisa. Olhe só!".

Deus falou com o menino e um novo capítulo começou. Mas o velho sacerdote não deu conta de participar ativamente desse novo momento e sua morte foi testemunha disso:

> *Naquele mesmo dia um benjamita correu da linha de batalha até Siló, com as roupas rasgadas e terra na cabeça. Quando ele chegou, Eli estava sentado em sua cadeira, ao lado da estrada. Estava preocupado, pois em seu coração temia pela arca de Deus. [...]*
> *Eli perguntou: "O que aconteceu, meu filho?"*
> *O mensageiro respondeu: "Israel fugiu dos filisteus, e houve uma grande matança entre os soldados. Também os seus dois filhos, Hofni e Fineias, estão mortos, e a arca de Deus foi tomada".*
> *Quando ele mencionou a arca de Deus, Eli caiu da cadeira para trás, ao lado do portão, quebrou o pescoço, e morreu, pois era velho e pesado. Ele liderou Israel durante quarenta anos.*
> 1Samuel 4.12-13,16-18

Que misteriosos e por vezes complexos são os caminhos do sacerdócio (ainda que eu preferisse usar a palavra pastoreio)! Começar bem, nos anos de "menino", é excitante e promissor, mas terminar bem é fruto de uma longa caminhada na mesma direção, considerando que identificar e seguir nessa direção requer contínua escuta, compromisso e submissão mútua no universo do corpo de Cristo. Essa caminhada nunca é linear, pois é marcada por encontros e desencontros, como a vida do Eli nos mostra e como a própria vida do Samuel nos ensina, ainda que aqui não nos detenhamos nisso. A boa teologia nasce nessa caminhada de encontros e desencontros, na oração de que não nos tornemos surdos para a voz de Deus que quer encontrar em nós uma atitude de escuta. Uma escuta profunda que leve a uma ação transformadora. Essa voz continua a chegar e a nos alcançar de forma misteriosa e surpreendente, e sempre espera que façamos como Samuel, dizendo: *Fala, pois o teu servo está ouvindo*. A boa teologia precisa ter escuta de menino.

"Um dia ela disse à sua senhora"

Naamã, comandante do exército do rei da Síria, era muito respeitado e honrado pelo seu senhor, pois por meio dele o Senhor dera vitória à Síria. Mas esse grande guerreiro ficou leproso.

Ora, tropas da Síria haviam atacado Israel e levado cativa uma menina, que passou a servir à mulher de Naamã. Um dia ela disse à sua senhora: "Se o meu senhor procurasse o profeta que está em Samaria, ele o curaria da lepra".

Naamã foi contar ao seu senhor o que a menina israelita dissera. O rei da Síria respondeu: "Vá. Eu lhe darei uma carta que você entregará ao rei de Israel". Então Naamã partiu, levando consigo trezentos e cinquenta quilos de prata, setenta e dois quilos de ouro e dez mudas de roupas finas. A carta que levou ao rei de Israel dizia: "Junto com

> *esta carta estou te enviando meu oficial Naamã, para que o cures da lepra".*
>
> *Assim que o rei de Israel leu a carta, rasgou as vestes e disse: "Por acaso sou Deus, capaz de conceder vida ou morte? Por que este homem me envia alguém para que eu o cure da lepra? Vejam como ele procura um motivo para se desentender comigo!"*
>
> *Quando Eliseu, o homem de Deus, soube que o rei de Israel havia rasgado suas vestes, mandou-lhe esta mensagem: "Por que rasgaste tuas vestes? Envia o homem a mim, e ele saberá que há profeta em Israel". Então Naamã foi com seus cavalos e carros e parou à porta da casa de Eliseu. Eliseu enviou um mensageiro para lhe dizer: "Vá e lave-se sete vezes no rio Jordão; sua pele será restaurada e você ficará purificado". [...]*
>
> *Assim ele desceu ao Jordão, mergulhou sete vezes conforme a ordem do homem de Deus e foi purificado; sua pele tornou-se como a de uma criança.*
>
> *Então Naamã e toda a sua comitiva voltaram à casa do homem de Deus. Ao chegar diante do profeta, Naamã lhe disse: "Agora sei que não há Deus em nenhum outro lugar, senão em Israel. Por favor, aceita um presente do teu servo".*
>
> 2Reis 5.1-10,14-15

Desta vez, quando Naamã retornou à capital da poderosa Síria, tudo foi bem diferente. As suas voltas costumavam ser festivas, poderosas e terríveis, se poderia dizer. A banda marcial tocava, as bandeiras tremulavam e a multidão gritava "Comandante! Comandante! Comandante!". Altivo e orgulhoso, ele vinha à frente do seu enorme e ordeiro exército que, em assustadora sintonia, marchava a marcha da vitória: um dois, um dois, um dois! Mais impactante ainda era a "marcha" dos conquistados que, maltrapilhos e acorrentados, eram desfilados como troféus de conquista. Terrível. Assustador.

Mas desta vez a volta foi diferente. As pessoas que o acompanhavam eram poucas. Vinham soltas, conversando, e até parecia que havia ausência de comando. Não é que Naamã, o famoso comandante, estivesse ausente, mas era porque também ele vinha solto. Conversando. Rindo, até. Ele vinha diferente. Ele estava diferente. Notadamente diferente.

É verdade que ao voltar para sua cidade ele deveria ir de imediato ao palácio do rei, embora a vontade fosse ir direto para casa e encontrar a sua gente. Mas ao palácio do rei ele foi. E quando este o viu, olhou, silenciou e disse: "Foi aquela menina, não foi?".

Naamã não demorou no palácio, até porque sua passagem por lá, nesta ocasião, tenha sido apenas protocolar; e rápido ele se liberou. No entanto, enquanto deixava o palácio e se dirigia à sua casa, ele levava consigo a pergunta do rei: "Foi aquela menina, não foi?". Uma pergunta que não era apenas do rei, mas era também dele. Era, aliás, a pergunta que o acompanhava dia e noite e que entraria com ele em sua própria casa. E em casa ele chegou.

Noutras vezes, quando ele voltava de alguma de suas incursões militares, nem parecia estar voltando para casa. Parecia, isto sim, estar chegando e entrando no seu quartel-general. Uniformizado. Disciplinado. Rígido olhar de comando. Entrava em casa e parecia ainda estar marchando, e por todo canto se instalava o silêncio do medo. Desta vez, no entanto, foi diferente.

A primeira coisa que fez foi abraçar a mulher, que lhe caiu nos braços. Logo após vieram os filhos, que lhe agarraram as pernas e ele sorriu para eles. Sorriu? "Ué, ele nunca voltou desse jeito", as crianças estranharam.

Bastou Naamã entrar em casa e um cochicho se instalou e se espalhou feito pólvora: "Você viu a pele dele? Parece pele de bebê. Imagina o comandante com pele de bebê. Lembra como estava a pele dele quando ele saiu daqui? Nem quero lembrar". E o cochicho logo encontrou outra pólvora: "Foi aquela menina, não foi? Cadê ela?".

Os dias passaram e a vida voltou à sua rotina. Digamos que foi uma nova rotina, pois agora "aquela menina" havia entrado na vida deles. A menina e o Deus da menina. Como era mesmo o nome dela? Um nome que acabou nunca aparecendo, embora a tal menina sempre aparecesse nas muitas vezes que Naamã contava e recontava a história do que havia acontecido com ele.

"Foi com aquela menina", ele dizia, "que toda essa história começou. E eu acabei com esta pele de criança. Lembram da minha pele? Pele de leproso. E nessa história eu acabei não apenas com esta pele, mas acabei descobrindo o Deus dela, que passou a ser também o meu Deus." Era por esse roteiro que seguia a história que ele repetia e repetia, seja na conversa com os filhos, na conversa com a esposa, antes de pegar no sono ou em cada uma das muitas recepções que ele oferecia em sua casa. Então, no decorrer do jantar, a história era sempre a mesma: "viram a minha pele?". E, terminado o jantar, ele dizia "venham comigo, quero lhes mostrar uma coisa", e lá ia ele para uma espécie de altar que havia edificado num dos cantos da casa. Um altar estranho, pois ali só havia terra e nada mais. Terra...? Então Naamã explicava:

"Eu trouxe um pouco de terra de lá, para nunca me esquecer do que aconteceu comigo. A história é longa e cheia de acontecimentos, mas vou resumir. A menina nos falou de um profeta lá da terra dela, aquela terra de Israel; e eu, desesperado, acreditei e fui em busca do tal profeta. E foi desse encontro que eu voltei com esta pele. E foi lá, com esse profeta e com o que me aconteceu, que eu descobri quem realmente é Deus, e então o reconheci dizendo ao profeta: *Agora sei que não há Deus em nenhum outro lugar, senão em Israel* (2Rs 5.15). Eu quis lhe dar uns presentes, mas ele não aceitou nada. Nada mesmo! Acabei pedindo que ele me permitisse trazer um pouco de terra comigo. Eu disse assim: *Já que não aceitas o presente, ao menos permite que eu leve duas mulas carregadas de terra, pois teu servo nunca mais fará holocaustos e sacrifícios a nenhum outro deus senão ao* Senhor (2Rs 5.17). Assim, para nunca me esquecer do que aconteceu comigo e de quem tinha feito isso comigo, eu trouxe esta terra e construí este altar, que passou a ser o meu lugar de oração ao Deus que me curou da lepra".

Nesse momento, em muitas ocasiões, criava-se um certo desconforto, pois nem todos entendiam bem o que ele estava dizendo ou concordavam com essa sua mudança de deus e de altares. Naamã já tinha percebido isso e quebrava o desconforto dizendo: "Está bem, olhar para esta terra, neste altar, pode não ser de muito interesse para vocês. Vamos lá para a sala e deixemos a terra aqui. Mas a minha nova pele eu vou levar comigo", e soltava uma alegre gargalhada. Na pausa da conversa, muitas vezes, um dos convidados dizia: "E a menina? Tem uma menina na história, não tem? Ela é escrava em sua casa, eu soube". E ele respondia: "É verdade. Nessa história tem não *uma*, mas tem *a* menina. Aliás, sem ela nem haveria história. Melhor, a história seria bem diferente. Tem a menina e o Deus da menina. O Deus da menina e meu Deus. O meu Deus e o Deus de todos aqui nesta casa". E um silêncio se instalava. Alguns abaixavam a cabeça, escondendo a discordância e a estranheza, enquanto outros diziam: "Interessante. Você tem certeza de tudo isso? O rei já sabe? Você não vai mais ao nosso templo com ele?", e assim o grupo ia voltando para a grande sala de recepção no centro de sua casa.

Ao voltarem para o grande salão, um tipo de dispersão se instalava e várias rodas de conversa iam se formando com as falas se multiplicando e o volume das vozes aumentando, à medida que as bebidas eram servidas com abundante prodigalidade. Entre as diversas rodas, a de Naamã era sempre a mais disputada e até a mais misteriosa, pois vai e vem ele voltava para o que lhe havia acontecido. "Vocês não imaginam", ele dizia, "quando os médicos foram confirmando o meu diagnóstico de lepra e eu mesmo fui vendo a lepra se instalando no meu corpo e eu fui ficando desesperado. A lepra avançava e me invadia até a alma, e eu já não conseguia nem dormir e nem viver. Um desespero. Então apareceu a menina e falou do profeta do Deus dela para a minha esposa. No desespero, como vocês vão entender, eu segui o conselho dela. E aqui estou com essa pele. Pele de criança", e ele sorria. Sorria e engolia a comovida emoção. E com um jeito singular ele acrescentava: "Essa menina me levou a um profeta que me conduziu à cura da lepra. Mas ela me levou também a uma experiência com esse Deus que eu não conhecia, mas que se mostrou para mim de uma forma inimaginável. Tudo isso foi, para mim, um grande presente e um grande mistério. Um mistério ao qual cheguei através de uma menina que eu trouxe como escrava aqui para casa.

Uma menina que conhece a Deus e fala com esse Deus. Aliás, um Deus que fala com uma menina e uma menina que me fala desse Deus". Ele silenciava por um pouco e então continuava: "Um Deus que fala com uma menina... Uma menina que me falou desse Deus e agora eu falo dele com vocês. Nunca imaginei. Um Deus que cura lepra". Então ele acabava levantando a voz e dizia: "Música. Mais música! Vamos dançar que a noite é uma criança. E quem tem pele de criança também tem pernas de criança. Vamos dançar!".

Não é fácil e é até impossível explicar e entender essas narrativas que nos conduzem a realidades tão diferentes, seja na Síria ou em Siló, como vimos antes. Narrativas que nos levam a olhar para as tristezas da alma e para as lepras da vida, em profundos descarrilhamentos existenciais, para logo remontar os cenários da vida a partir da percepção e do discernimento da voz do Eterno que faz surgir diante de nós uma nova estrada a encarrilhar a vida. Essa voz, voz de Deus, brota de jeitos absolutamente inesperados, ora mediada pelo menino Samuel, ora pela Menina Sem Nome. E também por Naamã, ao nos dizer "tão vendo a minha pele? pele de criança!" em tocante demonstração de quem Deus é, de com quem ele fala e do que ele faz.

A teologia carece ouvir essa voz e apontar o caminho para o encontro com o Deus dessa voz. Duas crianças fazem isso. E é preciso ser como elas para se saber nesse caminho identificado como Reino de Deus. É teologia com pele de criança. Naamã que o diga.

Dos lábios das crianças

Depois de mergulhar na experiência da escuta de Deus por parte do menino Samuel e no testemunho da Menina Sem

Nome, que aponta para um encontro transformador com Deus, vamos a uma cena na qual encontramos um grupo de crianças gritando *Hosana ao Filho de Davi*.[4]

Uma das marcas da fé cristã é a sua concreticidade histórica, revelando uma enorme capacidade de se encarnar na experiência humana. É na cotidianidade da vida que Deus nos mostra quem ele é, como ele se relaciona com o humano e como a sua presença acaba gerando transformação de vida. Outra das marcas dessa fé é a forma como essa revelação acontece, quebrando os paradigmas de uma racionalidade, onde a prática política (por vezes também a prática religiosa) constrói instrumentos de autoproteção, manutenção e controle. Controle este exercido pela manipulação, pelo conluio e, muitas vezes, pela violência dos detentores do poder. O caminho da chegada de Deus é bem outro. Ele chega por outro viés histórico. Ele chega conversando com um menino e levando uma menina a um protagonismo transformador. Um protagonismo que emerge de um lugar de fala inesperado e surpreendente: emerge do *status* de escrava, como acabamos de ver.

Nessa chegada e nessa presença de Deus os autores são diferenciados. Não são "os de sempre" que falam (e não ouvem) e ditam os roteiros. São outros que falam, e falam porque escutam e discernem. E estes outros são as crianças,

---

[4] Ver Mateus 21.12-16. Os três Evangelhos Sinóticos relatam o episódio da purificação do templo em Jerusalém, que ocorre pouco antes da prisão e crucificação de Jesus (Mc 11.15-16; Lc 19.45-49). No entanto, a presença de crianças no templo é uma particularidade de Mateus. O evangelista João, com suas particularidades, também relata a cena da purificação, mas o faz já no início do seu Evangelho (Jo 2.13-22).

mas não somente as crianças. São também os enfermos, os cansados e os pobres que, encontrados por Deus, adquirem um lugar de fala que os coloca como testemunhas de um novo tempo. São os que não têm voz, a quem ninguém quer escutar e a quem ninguém quer como agentes em seu círculo de convivência e de mando. Estes "outros" são os menores que se tornam em maiores no universo do Reino de Deus.

A cena que trazemos à tona coloca um grupo de crianças em surpreendente plataforma. Crianças que estão onde não deveriam estar e falam o que não deveriam falar, com Jesus nada fazendo a respeito. Pelo contrário, quando questionado pelas autoridades "de sempre", *os principais sacerdotes e escribas*, sobre essas atrevidas crianças e sua indevida intervenção na realidade deles, Jesus lhes diz: *Sim, vocês nunca leram: 'Dos lábios das crianças e dos recém-nascidos suscitaste louvor'?* (Mt 21.16).

A cena é altamente performática. Os Evangelhos Sinóticos nos levam a encontrar Jesus no templo, em Jerusalém. Em seu ministério ele andou muito pelos diferentes, sofridos e explorados rincões da sua terra; e no final deste ele se dirige à capital, que é o lugar do templo e das "maiores" autoridades religiosas e políticas. É lá, no templo, uns dias antes de ser preso e levado à cruz, que ele mostra, novamente, a que veio e faz o que sempre fazia em suas andanças ministeriais. Na ocasião, isso é referido como *os cegos e os mancos aproximaram-se dele no templo, e ele os curou* (Mt 21.14). Ao templo ele veio devolver a sua original razão de ser: *casa de oração* e não *covil de ladrões* (Mt 21.12), denunciando a montagem e a operação de uma indústria religiosa que mantinha os benefícios e os controles nas mãos de uma casta de sacerdotes e escribas. Ele denuncia essa corrupta estrutura de forma gráfica, derrubando mesas e cadeiras, para o horror e a ira desses detentores do poder, que já haviam decidido matá-lo e apenas esperavam a melhor oportunidade para fazê-lo.

Jesus, no entanto, continua com o seu ministério e o faz independentemente do lugar onde estava: ensinava e curava, enquanto a multidão o cercava, admirava e reconhecia a sua divina autoridade. É nesse cenário, e só Mateus fala dele, que emerge, para a surpresa e o escândalo dessas autoridades religiosas, um grupo de crianças que simplesmente faz coro gritando *Hosana ao Filho de Davi*, aclamando a Jesus, reconhecendo quem ele é e proclamando aquilo que *os cegos e os mancos* haviam experimentado.

Diante desse cenário, que enfurece a cúpula religiosa, Jesus os lembra, como já antecipado acima, de uma palavra dos Salmos que eles deveriam saber: *Sim, vocês nunca leram: 'Dos lábios das crianças e dos recém-nascidos suscitaste louvor'*?

As crianças cantam, exaltando a Jesus, enquanto as autoridades religiosas se indignam e intensificam os planos para matá-lo. Não poderia haver abismo maior entre estas duas posturas diante do próprio Jesus: as crianças celebram e as autoridades buscam controlar para dominar, ainda que isso signifique exterminar Jesus. O processo teológico carece prestar cuidadosa atenção a essas posturas e olhar para elas como diante de um espelho, a fim de discernir os caminhos pelos quais tem andado. Qual a teologia que se tem vivido e à qual se tem dado linguagem? Lamentavelmente, não é difícil se envolver em conversas teológicas cujo intento é definir crenças, ritos e costumes, como tem acontecido ontem e hoje, conversas que servem a propósitos controladores e detentores dos movimentos nos espaços sagrados. A ação de Jesus diante dessas teologias é a de "revirar mesas e cadeiras" como um protesto, um desafio e um convite para transformá-los em espaços de oração e experiência de libertação. Um espaço no qual se possa, não apenas ouvir as crianças com o seu coral de *Hosana*, mas também fazer eco a essa mesma celebração, ainda que nunca de forma tão afinada como elas. E um espaço onde haja lugar para, falando literal e simbolicamente, *os cegos e os mancos* experimentarem libertação a partir do encontro com Jesus.

A teologia, aquela que tem cheiro de Jesus, precisa das crianças cantando *Hosana ao Filho de Davi*, em sintonia com a palavra dos antigos que continua a nos lembrar: *Sim, vocês nunca leram: 'Dos lábios das crianças e dos recém-nascidos suscitaste louvor'?* A boa teologia encontra sua afinação no louvor das crianças, nos cegos que veem e nos mancos que andam.

5

"TALITA CUMI!"

E os adultos riem

A partir da sua marginalização, pobreza e vulnerabilidade,
a criança é o protótipo da cidadania do Reino
porque chega a ele com as "mãos vazias", sem privilégio.

EDESIO SÁNCHEZ

Uma das notórias marcas do ministério de Jesus é o seu encontro com pessoas. Encontros que ocorrem em vários lugares e em diferentes circunstâncias. Bastava ele botar o pé fora de casa para que as pessoas o cercassem. Alguns desses encontros foram captados pelos evangelistas em seus escritos, como este registro de Marcos 1.32-34: *Ao anoitecer, depois do pôr do sol, o povo levou a Jesus todos os doentes e os endemoninhados. Toda a cidade se reuniu à porta da casa, e Jesus curou muitos que sofriam de várias doenças. Também expulsou muitos demônios; não permitia, porém, que estes falassem, porque sabiam quem ele era.*

Os encontros de Jesus tinham marcas que sempre se repetiam: ele conversava com as pessoas acerca das boas-novas do Reino de Deus, curava enfermos com diferentes doenças e libertava pessoas dos demônios que as oprimiam e lhes exauriam a seiva da vida. As diferentes narrativas desses encontros ressaltam que as pessoas percebiam que Jesus falava como quem tinha autoridade e se maravilhavam (Mt 7.28-29). Numa dessas ocasiões, quando ele perdoou os pecados de uma pessoa paralítica e lhe disse que andasse, Marcos registra o seguinte movimento: *Ele* [o paralítico] *se levantou, pegou a maca e saiu à vista de todos, que atônitos glorificavam a Deus, dizendo: "Nunca vimos nada igual"* (Mc 2.12).

Vários dos encontros de Jesus foram também tensos e difíceis, em virtude de uma persistente polêmica com as autoridades religiosas que iam ao seu encontro para o escutar, avaliar, questionar. Elas queriam saber se ele seguia os preceitos e costumes de sua tradição, com suas devidas práticas religiosas, e não demoravam a conflitar com a sua fala quanto a quem Deus era e como Jesus se relacionava com ele e com as pessoas que vinham ao seu encontro. Criticavam sua liberdade de curar e libertar as pessoas e seu protesto indisfarçado quanto aos costumes e às práticas religiosas que estes defendiam e mantinham, alimentando um sistema de opressão e exploração no qual as pessoas se afundavam em desespero, cansaço e doença.

Já no início do Evangelho de Marcos, quando Jesus cura um homem que tinha uma mão atrofiada, num sábado, rompendo com a prática religiosa vigente, o texto diz que *os fariseus saíram e começaram a conspirar com os herodianos contra Jesus, sobre como poderiam matá-lo* (Mc 3.6), indicando a seriedade e a fatalidade da tensão que se acumulava. Nada, no entanto, o parava ou o fazia desviar-se do foco de sua missão, que ele assim definia: *Não são os que têm saúde que precisam de médico, mas sim os doentes. Eu não vim para chamar justos, mas pecadores* (Mc 2.17). A sua interlocução, portanto, com os *doentes* e *pecadores* era intensa, libertadora e acentuadamente fraternal, ao passo que com os *justos, os que têm saúde*, como ele os descrevia, era uma relação polêmica e tensa. Esse padrão perpassa a todos os Evangelhos, tendo o seu ápice no cenário da crucificação e da ressurreição.

Qualquer processo teológico precisa estar alerta para essa tensão e se perguntar pelo lugar que ocupa neste cenário. Precisa saber se dança com os doentes que vão sendo curados, ou se levanta a placa "cuidado!", alertando para a defesa de tradições, ritos e costumes, religiosos ou não, que tendem a se acomodar no tecido social e estão a serviço de um *status quo* que mantém os benefícios de uns poucos e é indiferente à "doença" de muitos. Ao fazermos teologia de olho na criança somos empurrados para dentro do universo dos doentes, dos pecadores e dos pequeninos. São eles que fazem parte desse grupo de pessoas junto às quais se manifesta, como sinal de esperança, a razão particular da vinda de Jesus.

Na conversa deste capítulo, voltando o foco às crianças, trazemos à memória três relatos de encontros de Jesus com elas, sendo dois de cura e um de surpreendente parceria, a qual consideraremos logo adiante.

Na primeira narrativa somos introduzidos a um movimento de Jesus em que ele cruza as fronteiras entre judeus e gentios, demarcadas pelo lago de Genesaré. No início do capítulo 5 do Evangelho de Marcos, vê-se Jesus cruzando o lago em direção à terra dos gerasenos. Para escândalo dos judeus, Jesus está indo para a terra dos criadores de porcos, numa evidência clara de sua mobilidade etnocultural e social. Ao chegar àquele lado do lago ele encontra e liberta uma pessoa *possuída de espírito imundo* (Mc 5.2). Ali, esse homem se transforma em testemunha da atuação de Jesus, num relato que vale contemplar com vagar e com detalhes, ainda que isso não seja possível de ser feito aqui. Ao atravessar o lago de novo, *voltando para a outra margem*, ele é recebido, à beira do mar, por uma grande multidão. Então, do meio dela, surge Jairo, conhecido por toda a comunidade por ser um dos líderes da sinagoga, que é a expressão maior da cultura que afirma a separação daqueles que vivem do outro lado, de onde Jesus acabava de chegar. Prostrando-se diante de Jesus, Jairo intercede pela filha, num dramático relato que a apresenta como alguém que está morrendo.[1] Em resposta a esse pedido Jesus segue com o pai da menina, iniciando uma caminhada que acabaria sendo demorada demais. No entanto, quando Jairo recebe o recado de que a filha já havia falecido e já não carecia insistir que Jesus fosse com ele, o Mestre apressa o passo e diz a Jairo: *Não tenha medo; tão somente creia* (Mc 5.36), transformando o restante do caminho numa mistura de tensão, frustração e esperança. Chegando à casa encontram um velório estabelecido. É nesse cenário que vamos acabar ouvindo Jesus dizer: *"Talita cumi!"*, *que significa "menina, eu lhe ordeno, levante-se!"* (Mc 5.41).

Na segunda narrativa vamos encontrar um pai com o filho acometido por *um espírito que o impede de falar* e, depois de jogado no chão, o menino *espuma pela boca, range os dentes e fica rígido* (Mc 9.17-18). Essa criança é levada a Jesus pelo pai, que não o encontra de imediato. Um triste cenário se instala quando alguns discípulos tentam intervir para a libertação do menino, mas em vão. E uma confusão se instala, em meio a uma discussão entre os discípulos e os mestres da lei, sob o olhar de toda uma multidão. Nesse momento Jesus chega e as atenções se voltam para ele, que pergunta: *O que vocês estão discutindo?* (Mc 9.16). Um homem emerge da multidão e conta exatamente o que estava acontecendo: *Mestre, eu te trouxe o meu filho, que está com um espírito que o impede*

---

[1] Esse relato é apresentado pelos três Evangélicos Sinóticos (Mc 5.21-24, 35-43; Mt 9.18-19,23-26; e Lc 8.40-42,49-56), sendo que o evangelista Mateus diz que a menina já havia morrido, enquanto em Marcos e Lucas ela está morrendo.

de falar. [...] *Pedi aos teus discípulos que expulsassem o espírito, mas eles não conseguiram* (Mc 9.17-18). Em seguida Jesus diz: *Tragam-me o menino* (Mc 9.19), e a narrativa sofre uma total reviravolta. Enquanto pai e filho, este absolutamente liberto, voltam para casa, os discípulos ficam incomodados com o acontecido e, ao chegarem em casa, têm a pergunta na ponta da língua: *Por que não conseguimos expulsá-lo?* (Mc 9.28).

Nessas duas narrativas vê-se a atuação de Jesus junto a uma menina e um menino. Uma atuação que não se dá, simplesmente, por serem crianças, pois o que ele faz com elas, fez e faz também com muitos outros *cansados e sobrecarregados* (Mt 11.28) dessa sua sociedade. Uma sociedade absolutamente desigual, injusta e marcada por uma estrutura política e religiosa que está mais interessada nos impostos, nos regulamentos e na manutenção do *status quo* do que nos pais e mães dos meninos e das meninas, bem como no próprio menino, com as suas constantes convulsões, e na própria menina, que está morrendo. Nestes, quem está interessado é Jesus, atuando para que voltem à vida e sejam crianças como toda criança deve ser.

Ao acompanhar mais de perto essas duas ações de Jesus, queremos observar o comportamento dos adultos, incluindo os discípulos, nesses cenários. Em que medida eles (e consequentemente, nós) estão em sintonia com Jesus e a sua atuação marcada pelo Reino de Deus? Ou, como parece ser tão comum, estariam eles em outra esfera?

"Talita cumi!"

Tendo Jesus voltado de barco para a outra margem, uma grande multidão se reuniu ao seu redor, enquanto ele estava à beira do mar. Então chegou ali um dos dirigentes da sinagoga, chamado Jairo. Vendo Jesus, prostrou-se aos seus pés e lhe implorou insistentemente: "Minha filhinha está morrendo! Vem, por favor, e impõe as mãos sobre ela, para que seja curada e que viva". Jesus foi com ele. Uma grande multidão o seguia e o comprimia. [...]

Enquanto Jesus ainda estava falando, chegaram algumas pessoas da casa de Jairo, o dirigente da sinagoga. "Sua filha morreu", disseram eles. "Não precisa mais incomodar o mestre!"

Não fazendo caso do que eles disseram, Jesus disse ao dirigente da sinagoga: "Não tenha medo; tão somente creia".

E não deixou ninguém segui-lo, senão Pedro, Tiago e João, irmão de Tiago. Quando chegaram à casa do dirigente da sinagoga, Jesus viu um alvoroço, com gente chorando e se lamentando em alta voz. Então entrou e lhes disse: "Por que todo este alvoroço e lamento? A criança não está morta, mas dorme". Mas todos começaram a rir de Jesus. Ele, porém, ordenou que eles saíssem, tomou consigo o pai e a mãe da criança e os discípulos que estavam com ele, e entrou onde se encontrava a criança. Tomou-a pela mão e lhe disse: "Talita cumi!", que significa "menina, eu lhe ordeno, levante-se!". Imediatamente a menina, que tinha doze anos de idade, levantou-se e começou a andar. Isso os deixou atônitos. Ele deu ordens expressas para que não dissessem nada a ninguém e mandou que dessem a ela alguma coisa para comer.

Marcos 5.21-24,35-43

O desespero bateu! E nem podia ser diferente, pois a filha estava morrendo. Ele, aliás, ele e toda a sua família já haviam feito de tudo e a menina só piorava. Não havia médico que ele não tivesse consultado e remédio que ele não tivesse buscado, e a menina só piorava, a ponto de lhe dizerem que "não tem mais nada que se possa fazer, agora é só esperar". Esperar como, se ele era o pai?! Esperar como, se ela precisava viver?! Esperar como...? Esperar ela morrer? Nunca. Nunca. Nunca!

Ele era um homem conhecido e respeitado. Todos sabiam quem era o Jairo. O Jairo da sinagoga. Pois da sinagoga, esse importante lugar de culto e reunião da comunidade, ele cuidava. Ela estava sob a sua liderança, e o seu zelo e carinho garantiam não apenas que o lugar estivesse em bom estado, mas que a comunidade fosse um bom lugar para se viver. Disso ninguém tinha dúvida.

Quando a menina ficou doente e foi piorando, toda a comunidade o sabia e sentia. E quando se falava "na menina", todos sabiam quem era, pois ela era "a menina" do Jairo. Um verdadeiro xodó. A menina piorava e o Jairo piorava. Apesar de ser "o seu Jairo".

Portanto, quando, naquele dia, ele surgiu do meio da multidão e foi direto falar com Jesus com jeito de desesperado, as pessoas nem estranharam, sabiam do que se tratava. É claro que houve um certo murmúrio no ar, pois Jesus estava chegando de um lugar aonde nenhum "verdadeiro judeu" queria ir; e ele nem havia passado por qualquer rito de purificação, o que tornaria o próprio Jairo, o Jairo da sinagoga, impuro. Mas "a menina" estava morrendo e o cochicho logo morreu, quando Jesus pousou a mão no ombro do Jairo e ensaiou um passo à frente. Mesmo os que não haviam entendido nenhuma palavra da conversa sabiam que Jesus havia decidido não apenas escutá-lo, mas ir com ele. E assim iniciaram a caminhada para ver "a menina".

A casa não era longe, mas caminhar rápido em meio a um monte de gente, nem pensar. Aliás, quem estava precisando de Jesus não era apenas o Jairo, por mais apressado e angustiado que estivesse. E não é que Jesus para?! Jesus para e Jairo sua o suor do angustiado. Ele sua, sente a boca seca, os olhos avermelhados e as mãos trêmulas: sua menina está morrendo! Jesus para e ele não sabe o que fazer. Não quer apressar Jesus, e este não parece ter pressa. Não quer parecer egoísta e passar por cima de alguém outro que também está necessitado... Mas a sua menina está morrendo. Que agonia!

Jesus continua parado. Seus olhos parecem procurar alguma coisa. Ou seria alguém? Ele diz alguma coisa, as pessoas se movimentam, os discípulos comentam algo baixinho, mas ele, Jairo, não está entendendo nada e só gostaria de seguir depressa, correr com Jesus para a sua casa. A menina está morrendo. Quando vê alguns rostos e passos conhecidos se aproximando, ele sente como um soco no estômago e à medida que ele percebe a expressão do rosto deles ele quer morrer. Não! Não! Não pode ser! Mas havia sido. E a notícia lhe chega assim, de forma curta e pública: *Sua filha morreu. Não precisa mais incomodar o mestre.* "A menina" morreu. Sua menina morreu, e ele também quer morrer. Agora mesmo. Ali mesmo. Morrer... morrer, assim como uma parte dele acaba de morrer juntamente com a "sua menina".

De fato, as coisas parecem nunca ser muito "normais" com Jesus por perto. Por um momento pareceu que a atenção de Jesus estava totalmente voltada para ele, Jairo. E aí, no instante seguinte, parece que alguém outro desviou sua atenção, e Jairo foi se sentindo só e deixado na mão. Mas foi só receber a trágica notícia da morte de "sua menina" que os olhos de

Jesus se voltaram novamente para ele, para logo lhe dizer: *Não tenha medo; tão somente creia.* O quê? Ele entendeu, mas não entendeu. Olhou para Jesus com desespero nos olhos. Este também olhou para ele, mas sem desespero nos olhos e logo lhe disse "vamos, que aqui já está tudo bem".

Já não faltava muito para chegarem à sua casa, mas para Jairo a distância era enorme. À medida que se aproximavam foram percebendo o alvoroço. O alvoroço da morte recém-chegada. A casa dele já estava tomada de gente. "Não é possível", ele pensou. "Como esse pessoal chegou aqui tão rápido? Eu não quero esse povo aqui. Eu quero ficar sozinho. Melhor, eu quero ficar com Jesus." Jesus também foi vendo aquele povaréu todo e foi se preparando para entrar na casa. Pediu a Pedro, Tiago e João que ficassem perto e entrassem junto com ele, ao ver que um pequeno corredor se abria casa adentro.

A cena era comovente e havia choro por todo lado, pois "a menina" havia morrido. A menina do Jairo. Pois não é que naquela confusão toda Jesus falou algo que parecia absolutamente desproporcional? Algo completamente fora de tom. Algo que poderia ser considerado ofensivo. Ou seria Jesus disfarçando por ter chegado tarde? Ele disse e as pessoas ouviram bem: *Por que todo este alvoroço e lamento? A criança não está morta, mas dorme.* O quê? O que foi que ele disse? Foi isso mesmo? E o choro se transformou em riso, numa cena que... uma cena que pairava no ar como um riso na hora errada causado por uma palavra errada. Irresponsável, até. Os pranteadores passaram a rir de Jesus enquanto ele, sério, deu uma rápida olhada em volta e entrou na casa. Só eles. O pai, a mãe e ele com seus três discípulos. E a porta se fechou.

O que segue é um desses mistérios que só pode ser olhado como um mistério. Não é que houvesse mistério nas palavras que Jesus disse. Estas foram claras e todos ali presentes as ouviram. Aliás, foram palavras bem simples: *Talita cumi!* Seria isso mesmo? Ele toma a mão da criança e manda que ela se levante. Ele a ajuda a se levantar. Devagarinho, leva-a para dar uns passos pelo quarto e, em seguida, entrega-a à sua mãe, dizendo que lhe dê *alguma coisa para comer*. O que foi isso? O Jairo e a mãe da menina pareciam tontos. A mãe quase desmaiando. Os olhos esbugalhados a saltar e o ar a faltar no quarto. Tudo ocorreu muito rápido e, por um momento, a cena em que a menina acordava até parecia normal, não fosse o fato de que ela havia morrido. Morrido. Ou estava dormindo? Não; eles sabiam que a menina havia morrido. O diagnóstico havia sido dado e eles viram a morte chegando, até que os seus próprios olhos o viram: a menina estava morta. Assustada, a mãe da menina pareceu estar acordando de seu "assustado desmaio" ao sentir o leve toque de Jesus em seu braço: *alguma coisa para comer*. A mãe assustou, deu um suspiro, firmou os pés e foi para a cozinha ver algo para a menina comer. "Algo para comer", ela murmurava.

É difícil saber o que aconteceu, a seguir, naquele quarto. Não se sabe se o Jairo caiu sentado na cadeira e começou a chorar convulsivamente, ou se ele abraçou a menina e sorriu. Não se sabe se ele deu um abraço em Jesus, ainda que isso fosse fora do protocolo, ou se... não se sabe. O que se sabe é que a porta foi aberta e as pessoas viram a menina caminhando pela casa. Abriu-se a porta e as pessoas viram o rosto do Jairo e o ouviram dizer que "a menina" estava bem. O que se sabe é que Jesus saiu dali o mais escondido possível, pois não queria nenhum alarde quanto a essa menina que agora já estava comendo alguma coisa.

O que se sabe é que os adultos riram. Os adultos têm muita dificuldade de querer ver algo que escapa da sua "normalidade". Os adultos têm a sua lógica e nesta ninguém mexe: ora eles choram e ora eles riem, especialmente quando sua lógica é desafiada. Os adultos riem em pleno velório, enquanto Jesus diz: *Talita cumi!*

Talita cumi é a palavra com a qual se deve andar nos caminhos da teologia. Senão a menina continuará morta e nós continuaremos chorando ou rindo quando acontece algo em que a gente não consegue crer e que não quer ver acontecer. Vale para nós o que Jesus disse ao Jairo: *Não tenha medo; tão somente creia*. Mas como crer nisso se o riso chega tão rápido? Às vezes por dentro e às vezes por dentro e por fora.

O ar também nos falta. Precisamos da próxima narrativa para entrar mais nesse universo da crença e da descrença, seja diante dos sinais de morte que marcam a nossa vida, individual e comunitária, seja diante de Jesus. Já, já iremos encontrar outro pai com o seu menino, e de nenhum deles sabemos o nome.

"Eu te trouxe o meu filho"

Quando chegaram onde estavam os outros discípulos, viram uma grande multidão ao redor deles e os mestres da lei discutindo com eles. Logo que todo o povo viu Jesus, ficou muito surpreso e correu para saudá-lo.

Perguntou Jesus: "O que vocês estão discutindo?"

Um homem, no meio da multidão, respondeu: "Mestre, eu te trouxe o meu filho, que está com um espírito que o impede de falar. Onde quer que o apanhe, joga-o no chão. Ele espuma pela boca, range os dentes e fica rígido. Pedi aos teus discípulos que expulsassem o espírito, mas eles não conseguiram".

Respondeu Jesus: "Ó geração incrédula, até quando estarei com vocês? Até quando terei que suportá-los? Tragam-me o menino".

Então, eles o trouxeram. Quando o espírito viu Jesus, imediatamente causou uma convulsão no menino. Este caiu no chão e começou a rolar, espumando pela boca.

Jesus perguntou ao pai do menino: "Há quanto tempo ele está assim?"

"Desde a infância", respondeu ele. "Muitas vezes esse espírito o tem lançado no fogo e na água para matá-lo. Mas, se podes fazer alguma coisa, tem compaixão de nós e ajuda-nos."

"Se podes?", disse Jesus. "Tudo é possível àquele que crê."

Imediatamente o pai do menino exclamou: "Creio, ajuda-me a vencer a minha incredulidade!"

Quando Jesus viu que uma multidão estava se ajuntando, repreendeu o espírito imundo, dizendo: "Espírito mudo e surdo, eu ordeno que o deixe e nunca mais entre nele".

O espírito gritou, agitou-o violentamente e saiu. O menino ficou como morto, ao ponto de muitos dizerem: "Ele morreu". Mas Jesus tomou-o pela mão e o levantou, e ele ficou em pé.

Depois de Jesus ter entrado em casa, seus discípulos lhe perguntaram em particular: "Por que não conseguimos expulsá-lo?"

Ele respondeu: "Essa espécie só sai pela oração e pelo jejum."

Marcos 9.14-29

O dia havia sido um desespero. Mas quando a mãe viu o pai e o filho chegando, logo viu que algo havia acontecido. Algo forte. Algo bonito. Ela olhou de novo e não aguentou: correu a abraçar os dois e chorou nos braços do marido. Um choro que trouxe à luz uma dor tão profunda como profundo é o coração de mãe. Um choro que parecia vomitar essa bola que havia se alojado no seu estômago e nunca ia embora. Um choro cujas lágrimas eram igualmente doces, pois o rosto do marido dizia que tudo estava bem. Ela passou a mão na cabeça do menino e se abaixou. Olhou nos seus olhos e ele sorriu. Ele sorriu e ela chorou de novo. E esse foi o choro de uma mãe que recebeu o filho de volta. Então ela, afinal, conseguiu perguntar: "O que foi que aconteceu?".

As coisas não andavam nada fáceis para eles. Ainda na noite anterior ela e o marido, já na cama, mas acometidos por um fugitivo sono, cochichavam que o menino estava piorando e eles não sabiam mais o que fazer. As coisas pareciam estar se afunilando num beco sem saída. Foi então que eles decidiram que, no dia seguinte, o marido e o menino iriam tentar um encontro com Jesus, pois tinham ouvido coisas boas sobre o que ele andava fazendo. Aliás, em duas ocasiões já o tinham ouvido falar, e quando ele falava sabia-se que estava trazendo uma boa mensagem de Deus. "Quem sabe ele ajuda a gente. Quem sabe ele sabe o que fazer com o menino", o marido disse antes que a quietude da noite convidasse para uma oração por uma rara noite de sono para o menino e para eles.

Quando o filho era bem pequeno eles nem chegaram a notar que havia algo de errado com ele, ainda que o coração da mãe não estivesse muito tranquilo. À medida que ele foi crescendo, no entanto, as coisas ficaram não apenas evidentes, mas assustadoras. O menino não aprendeu a falar e parecia não ouvir. As convulsões não demoraram a chegar e foram se intensificando. Elas vinham e o menino ia ao chão, rangia os dentes, espumava e rolava, com os pais tendo cada vez mais dificuldade de evitar que se machucasse. Estava difícil. Muito difícil. Muito dinheiro eles não tinham, mas o que tinham já tinha ido para as mãos de médicos, remédios e qualquer ajuda que lhes fosse prometida. Não sabendo o que fazer e o menino ficando pior e até agressivo, passaram a viver mais isolados e trancados dentro de casa. Isso também era insuportável. Eles iriam levar o menino a Jesus.

Cedo de manhã o pai e o menino saíram a caminho de um encontro com Jesus, o que poderia acabar sendo bem fácil ou talvez bastante difícil. Encontrar Jesus não era difícil, pois sempre havia uma aglomeração ao seu redor; mas chegar perto poderia ser um desafio quando tantos queriam fazer o mesmo. Jesus também parecia nunca ficar muito tempo num lugar; estava sempre se movimentando e até podia andar longe, o que não iria facilitar o seu acesso a ele. Naquele dia, no entanto, Jesus parecia estar por perto, pois não demorou para que o pai do menino enxergasse a aglomeração pela qual buscava, desafiando o garoto a apressar o passo. Mas quando se aproximou deu-se conta de algo que não esperava: a maioria dos discípulos que andavam com Jesus estava lá, mas ele não. O seu coração apertou e o que seguiu foi bem difícil. Foi constrangedor. Frustrante. Doído, muito doído, levando o pai a pensar: "Coitado deste meu menino!".

Ainda bem que Jesus não demorou a chegar e logo percebeu que algo havia acontecido e foi logo perguntando:

O que vocês estão discutindo?, e várias coisas aconteceram a seguir. Aliás, muitas coisas, e precisamos ir devagar para ver se conseguimos acompanhar as diferentes cenas.

Diante da pergunta de Jesus, o pai do menino tomou a dianteira e foi claro e conciso, por mais constrangedor que tudo fosse. Ele entrou na água e foi para se molhar, como se diz, e foi logo dizendo que havia trazido o filho para que Jesus o visse, mas a coisa não havia saído como esperado. A situação do menino não era fácil, pois havia nele um espírito que o sacudia de um jeito que nenhum pai aguenta ver. "O menino vai ao chão, range os dentes, espuma, e nem eu nem minha mulher damos conta da situação", o pai foi direto em dizer. Foi direto e foi forte, extraindo de dentro dele uma dor e um desespero sem tamanho, enquanto Jesus o ouvia com atenção e presença. "Como o senhor não estava aqui", ele continua, "seus discípulos entraram em ação, assumiram a situação, chamaram o menino, mas... mas também não deram conta. Foi confuso, Jesus. Foi difícil. Mas eles não deram conta e o menino está aí, do mesmo jeito." Aliás, ele estava pior, depois dessa tentativa de ajudá-lo sem ajudá-lo. E, para complicar a situação, os discípulos haviam caído numa discussão sem fim com os mestres da lei, como se dizia deles, deixando de lado o menino e o pai, abandonados por uma discussão. "Jesus, podes fazer alguma coisa?", o pai pergunta, sem conseguir erguer os olhos.

A reação de Jesus é rápida e vai em duas direções. Ele entra numa espécie de lamento e parece estar olhando longe. Fala de uma geração que não crê, à qual o evangelista Lucas acrescenta a pesada palavra *perversa* (Lc 9.41). Uma geração para quem a presença e a ação de Deus não parecem significar nada que seja relevante e transformador. Não sabem e não querem saber o que Deus reserva para eles. Uma geração cativa de seus demônios, como se vê na vida desse indefeso "pequenino". Uma geração incrédula que pesa sobre os ombros de Jesus, e ela inclui a todos ali, os mestres, os discípulos e o pai do menino. Todos eles. E, suspirando, ele diz: *Até quando*? Este lamento, no entanto, parece ser algo rápido, pois logo ele diz: *Tragam-me o menino*. O próprio pai parece acordar com essa palavra de Jesus, pois estava tendo dificuldade de entender o que ele estava querendo dizer com isso de *geração incrédula*. Depressa, ele pega o menino e o deixa bem perto de Jesus. Graças a Deus, ele pensa, o meu filho está na presença de Jesus. Parece seguro. Sem medo. Jesus se abaixa, olha para ele com carinho e segura a sua mão. Levanta os olhos, sem levantar o corpo, e pergunta ao seu pai: *Há quanto tempo ele está assim?*, e logo o pai responde: *Desde a infância*.

Nesse momento um novo desequilíbrio parece se abrir na cena, pois o pai do menino solta um ansioso *se podes fazer alguma coisa* e o olhar de Jesus o congela. Aliás, o olhar de Jesus congela o seu estômago. Foi um olhar que dizia: "Foi isso que eu acabei de dizer: geração incrédula. E você é um exemplo disso, entende? Vocês não acreditam em Deus, entendem?". O pai entende sem entender e está confuso com tudo o que está acontecendo. Não sabe o que fazer com o seu menino. Os discípulos tentaram algo e complicaram a sua própria crença no que Jesus podia fazer e agora ele está a olhá-lo daquele jeito. Mas então ele diz: *Tudo é possível àquele que crê*. E, como um gemido que lhe sobe das entranhas mais profundas, ele responde: *Creio, ajuda-me a vencer a minha incredulidade!*, na esperança de que Jesus não lhe vire as costas. Para sua encabulada surpresa, no entanto, Jesus já se voltou para o menino e, sem nenhuma quebra de presença e acolhimento, repreende o espírito que o mantém cativo.

Falar sobre o que aconteceu é bem sensível e até difícil, especialmente para uma geração incrédula. O texto diz que Jesus repreendeu o espírito ordenando que nunca mais incomodasse o menino. O espírito esperneou e gritou, mas de nada adiantou, acabando por se submeter à palavra de Jesus. Foi uma cena forte. Uma espécie de conflito em outra esfera. Mas foi uma cena decisiva, pois o menino mudou e esse é o sinal mais evidente dessa intervenção de Jesus. A seguir, ele tomou o menino pela mão e o ajudou a ficar de pé, de um jeito terno e carinhoso. Pronto. E não se fala mais do menino. Este vai para casa liberto, segurando a mão do pai. Tudo é muito intenso. É coisa que vai além da nossa linguagem e da nossa percepção, e nos leva a um universo onde Jesus repreende "aquilo" que está destruindo o menino e sua família. Estamos diante de um mistério. Um mistério que nos deixa pasmos e diante do qual também os discípulos estão intrigados.

Os discípulos estão percebendo que seguir a Jesus pode até estar se tornando realidade e eles estão dando o melhor de si, mas mergulhar numa atuação segundo o modelo de Jesus é outra história. Uma história mais difícil, mais sensível e mais profunda. Uma história na qual lhes está sendo difícil tanto desistir de seus anseios e esperanças como captar o segredo dessa atuação de Jesus. Ao final daquele dia eles formulam uma pergunta a Jesus que, de uma forma certeira e incômoda, retrata essa angústia e essa incógnita: "Por que não funcionou conosco? O senhor não nos enviou a expulsar os demônios? Nós tentamos e olha o que aconteceu. Aliás, não aconteceu. Uma vergonha".

Ainda bem que a noite era longa, pois esta seria uma conversa demorada, a exigir mais do que uma resposta pronta. Esta era uma conversa de muitas abas abertas e que acompanharia os discípulos por todo o ministério de Jesus e os levaria até a experiência de Pentecostes, quando estariam mais prontos para receber o que lhes faltava: o poder do Espírito Santo. É uma conversa que apontaria para a necessidade de fé e da prática do jejum e da oração, como já vimos anteriormente. E é uma conversa da qual também nós carecemos ainda hoje, em meio às nossas ilusões, perguntas, medos e reticências, pois também somos parte dessa geração incrédula em relação à qual Jesus pergunta *até quando*. Nós também somos o pai do menino que diz *Creio, ajuda-me a vencer a minha incredulidade*. Nós também somos parte desse grupo de discípulos que pergunta *por que não conseguimos expulsá-lo*. Somos tudo isso, ainda que nos seja muito difícil verbalizá-lo, e precisamos dessa conversa na qual Jesus diz que para este ministério é preciso entrar em outra escola e sonhar com outros valores e prioridades. É preciso abraçar outra visão de mundo. Nessa escola se aprende a viver em outro universo. Um universo chamado Reino de Deus, no qual a fé nos leva à vivência do jejum e da oração na consciência de que dependemos totalmente da presença do Espírito Santo. Um Espírito que nos leva aos pés de Jesus para esta exata conversa. Uma conversa-encontro na qual Jesus sopra sobre nós esse mesmo Espírito Santo, como o fez por ocasião de seu encontro com os discípulos, como o Cristo ressurreto. Esse encontro João relata assim: *Ao cair da tarde daquele primeiro dia da semana, estando os discípulos reunidos a portas trancadas, por medo dos judeus, Jesus entrou, pôs-se no meio deles e disse: "Paz seja com vocês!" Tendo dito isso, mostrou-lhes as mãos e o lado. Os discípulos alegraram-se quando viram o Senhor. Novamente Jesus disse: "Paz seja com vocês! Assim como o Pai me enviou, eu os envio". E com isso, soprou sobre eles e disse: "Recebam o Espírito Santo. Se perdoarem os pecados de alguém, estarão perdoados; se não os perdoarem, não estarão perdoados"* (Jo 20.19-23). Recebamos, pois, esse sopro e nos saberemos parte dessa comunidade dos discípulos marcada pelo medo, empoderada pelo Espírito e enviada como Jesus o foi.

Desculpe! Deixamos a mãe do menino esperando. Esperando pela resposta que brotou já faz um tempinho. Afinal, o que havia acontecido com o menino dela? No entanto, ainda que a sua pergunta não lhe tivesse sido rapidamente respondida ela já sabia de tudo. Bastou olhar nos olhos do menino e no rosto do marido.

Aos poucos o pai, a mãe e o menino entram em casa, sentam-se à mesa, a mãe faz um café e o pai passa a detalhar o que aconteceu naquele dia. Só agora ele percebe o quanto está cansado. Exausto. Sente que precisa descansar. Ainda tenta conversar um pouco, dizendo: "A coisa não começou bem e fiquei bem confuso. Mas também não sabia direito o que, exatamente, eu esperava. Acho que estava muito desesperado para saber qualquer coisa e não imaginava o que Jesus iria fazer com o menino. Mas olhe para ele, é o nosso menino e ele está bem". Então acrescenta o que não deixa de ser um enigma para a mãe: "Eu preciso voltar a encontrar Jesus para dizer a ele que eu creio. Ele me ajudou a crer. Veja o que ele fez com o menino. O nosso filho está bem. Deus é bom e cuida da gente. E agora eu preciso dormir, pois estou exausto. Hoje vou dormir o resto do dia e a noite inteira. E você também, viu, menino", e passa a mão na cabeça dele enquanto se levanta e se dirige até a cama, murmurando baixinho: "Eu creio, ajuda-me na minha incredulidade. Acho que é isso. Mas é também mais do que isso: eu creio. Será que dá?". A mãe, lá na mesa da cozinha, não entendeu direito o que o marido dizia, mas ela sabe que crê. Ela cria.

Fazer teologia é algo assim: saber-se parte de uma geração incrédula que quer aprender a dizer "eu creio, ajuda-me na minha incredulidade", e quer aprender mais. Quer aprender a dizer "eu creio!".

Fazer teologia é algo assim: perguntar a Jesus, sempre de novo, por que não conseguimos. Porque, de fato, não conseguimos. Não conseguimos e ele nos diz que, para conseguir, é preciso jejuar e orar reconhecendo que é dele que dependemos e dele carecemos receber o sopro do Espírito.

Fazer teologia é algo assim: aprender a crer à medida que vemos Jesus olhando para o menino e o menino olhando para Jesus.

"Aqui está um rapaz"

Ao chegarmos à nossa terceira narrativa encontramos um cenário bem diferente. Nele encontramos um menino sendo levado a Jesus para que este receba de suas mãos *cinco pães de cevada e dois peixinhos* (Jo 6.9). Veja só: Jesus estende as mãos para receber das mãos do menino o que este tinha para lhe dar.

O cenário da narrativa é a multiplicação dos pães, registrado em todos os quatro Evangelhos, ainda que com diferentes detalhes. O que eles têm em comum é uma multidão de gente que vai ficando faminta à medida que o dia vai entardecendo. Eles têm em comum os discípulos buscando articular uma saída adequada para uma situação que eles percebem ser complicada. Uma saída em tempo para as pessoas terem tempo de chegar em casa antes do anoitecer e, eventualmente, até conseguirem algo de comer pelo caminho. Enquanto isso Jesus, de forma provocativa, lhes diz, segundo os Evangelhos Sinóticos, que eles deem de comer à multidão, e recebe como resposta que não há dinheiro em caixa para isso e que eles não veem qualquer possibilidade de conseguir algo para tanta gente ali nos arredores.

É nesse momento que o Evangelho de João introduz um menino e o faz de forma despretensiosa, quando o discípulo André diz a Jesus: *Aqui está um rapaz com cinco pães de cevada e dois peixinhos, mas o que é isto para tanta gente?* (Jo 6.9). E com isso um novo e inesperado cenário está montado: uma multidão faminta, Jesus e um menino com cinco pães e dois peixes e os discípulos sentindo-se de mãos amarradas.

Como se vê na continuação do relato, Jesus aceita os pães e os peixes das mãos do menino, dá graças por eles e os distribui para que todos possam se alimentar. E todos são alimentados e saciados, com o devido registro de abundante sobra. Um milagre.

O que trazemos à memória, com destaque, é o encontro entre Jesus e o menino. Um encontro singular diante do qual os discípulos estão despreparados e serão surpreendidos. Ao trazer o menino até Jesus, André certamente não imaginava que desse encontro pudesse nascer algo que fosse alimentar toda a multidão. A apresentação do menino foi circunstancial e até parece ter uma nota irônica, pois o que o menino trazia consigo era algo absolutamente insuficiente, como não era difícil concluir. Aliás, a apresentação de algo tão diminuto diante de uma necessidade tão grande poderia ser entendida como um argumento a mais para Jesus despedir logo a multidão. O raciocínio era claro e vale repeti-lo: tem muita gente aqui e a fome está chegando depressa. Não temos dinheiro para alimentar esse povo todo e nesse descampado nem tem onde comprar algo em tanta quantidade para tanta gente. A multidão precisa ser dispensada. E vamos para casa nós também. Ponto final. Não, diz Jesus, estamos apenas no ponto inicial. As pessoas irão para casa, mas antes vamos alimentá-las. Então ele olha para o menino e lhe diz: "Me mostra o que você trouxe?".

O encontro de Jesus com o menino é digno de uma pintura inesquecível. Acanhado, o menino nem estava entendendo direito o que estava acontecendo. Ele sabia do seu lanche e ainda estava se certificando de tê-lo trazido quando "esse homem" veio e lhe disse "o que você tem aí?". Antes de responder os seus olhos até buscaram a mãe para saber o que fazer, mas os seus olhos não a encontraram. Ele havia chegado um pouco mais perto, atraído pela presença e pela voz desse Jesus. Nem sabia bem por que, mas ele gostava de ouvi-lo falar, ainda que fosse um adulto. É que geralmente é chato ouvir os adultos falarem, e eles falam muito. Mas com esse era diferente. Ele foi chegando tão perto que até o seu lanche foi descoberto por esses discípulos que pareciam estar procurando alguma coisa.

Levado para ainda mais perto de Jesus, ele até ficou com um pouco de medo, mas só até os olhos dos dois se encontrarem: foi um encontro de olhos. Um encontro de paz e de coração tranquilo. Nem demorou para ele perceber que havia metido a mão na bolsa e tirado o seu lanche enquanto Jesus já estendia as mãos. Foi simples. Foi, como se poderia dizer, mágico. Foi até estranho ele não sentir ciúme do seu lanche; e quando se deu conta Jesus já estava levantando o lanche aos céus, como numa oração. Uma oração de agradecimento, e isso foi tudo. Então todos comeram. Houve uma certa confusão na hora de distribuir esses pães e peixinhos que pareciam não acabar nunca. Todos comeram. Todos, quer dizer, homens, mulheres e crianças. Eram muitos. E muita coisa sobrou. Ele viu tudo, pois não saiu de perto de Jesus, que vez por outra lhe dava uma olhada. Uma olhada tranquila que tinha um sorriso dentro dela. Quando ele se deu conta já tinha até aconchegado, por um momento, a sua mão agora sem o lanche dentro da mão de Jesus. Nossa!

Pode parecer estranho, mas ao fim daquela "santa muvuca" ele acabou enfiando na bolsa um pouco da sobra do lanche e o mostrou à sua mãe quando esta o encontrou bem postado e todo faceiro ao lado de Jesus. Ela até fez cara de querer dizer algo como "por onde você andou que eu não o estava encontrando?", mas engoliu em seco quando viu aqueles dois juntos e até engasgou quando Jesus perguntou ao menino "é a sua mãe?" e ele fez que sim com a cabeça. Jesus se voltou para ela e disse: "Eu estava aqui conversando com o seu filho. Gostei da conversa. Menino bonito, esse seu filho. Ele até me deu os seus cinco pães e dois peixinhos. Espero que a senhora não se importe. Mas eu já devolvi", e um misterioso sorriso transpareceu nos olhos de Jesus para quem quisesse ver. Um sorriso de confiança naquele a quem ele havia agradecido pelos cinco pães e dois peixes.

Então mãe e filho pegaram a estrada, pois já estava ameaçando escurecer e havia um bom trecho para andar. Já no caminho, a mãe segurou a mão do menino, andaram mais um pouco e ela perguntou: "O que foi isso, filho?". Ele ficou quieto por um pouco e respondeu: "Não sei, mãe, não sei. Foi Deus. É isso. Foi Deus".

Fazer teologia se transforma, fácil, num engodo. Neste, ela está ocupada fazendo contas, calculando os recursos que (não) estão disponíveis e como eles são insuficientes para suprir tantas necessidades. Essa teologia pensa e repensa, mas não vê nenhuma alternativa senão dispensar e dispersar a multidão faminta. Assim é, muitas vezes, a nossa teologia: escravizada pela lógica. A lógica dos cálculos e dos recursos, tanto a dos discípulos como a nossa.

Então a teologia recebe um convite. O convite para perceber e discernir o encontro entre Jesus e o menino. Um encontro de olhares, de sintonia e de uma rápida passagem de mãos. A passagem dos cinco pães e dois peixes das mãos do menino para as mãos de Jesus. Nesse mover de mãos a teologia da lógica dos adultos se sente perdida, pois não se considera capaz de fazer esse movimento nem consegue admitir que "isso" que passa de uma mão à outra possa alimentar uma multidão. Nesse momento a teologia precisa decidir se ela vai ficar com a sua "lógica da insuficiência e da dispersão", quiçá acompanhada da ironia do "pouco que não dá pra tanto", ou se vai se dispor ao silêncio diante do movimento de mãos: das mãos do menino para as mãos de Jesus.

Essa teologia convidada a se colocar ao lado de Jesus e do menino carece perceber também que essas mãos de Jesus, que recebem o "pouco" das mãos do menino, são mãos em postura de oração. Mãos que sabem para onde se voltar: mãos que se erguem aos céus em divina expressão de gratidão. Mãos em atitude de oração. Mãos que performam um estilo de vida. Em seguida, essas mesmas mãos postas em oração voltam-se em direção ao outro num gestual multiplicador no qual, do pouco, todos se alimentam. Com Jesus é assim: as mãos que recebem são as mãos que oram e as mãos que oram são as mãos que servem ao outro. Esse não é um convite fácil para a nossa teologia que faz muitas perguntas, responde com muitas impossibilidades, tem dificuldade de assumir forma de oração e acaba não alimentando ninguém. Na ilógica lógica de Jesus, ele nos convida a que nos tornemos criança, pois só assim perceberemos como cinco pães e dois peixes alimentam uma multidão. Depois, é claro, de passarem pelas mãos de Jesus. Mãos que recebem de um menino e alimentam uma multidão.

Teologia de olho na criança se faz de olho nas mãos do menino que passa os seus cinco pães e dois peixes para as mãos de Jesus e de olho nas mãos de Jesus que, em gratidão, alimentam uma multidão. Teologia como surpresa divina.

6
CRIANÇA BEM CUIDADA É CRIANÇA ABENÇOADA

Não existe revelação mais nítida da alma de uma sociedade do que a forma como esta trata as crianças.

Nelson Mandela

No final de seu Evangelho, João diz que ele deu testemunho escrito de apenas algumas das coisas que Jesus realizou. Pois, como ele diz, *Jesus fez também muitas outras coisas* e, se tudo fosse reportado, *nem mesmo no mundo inteiro haveria espaço suficiente para os livros que seriam escritos,* numa hipérbole de seu tempo (Jo 21.25).

Os evangelistas não se propõem dizer tudo, mas registrar o que consideraram importante e significativo quanto à vida e ao ministério de Jesus, sempre a partir do que lhes foi possível encontrar. O objetivo não é apresentar uma biografia de Jesus, com a típica linearidade informativa do que, quando e onde as coisas aconteceram e o que foi dito em cada uma dessas ocasiões, cobrindo assim o espectro de seu nascimento até sua morte. A partir da tradição oral, na qual os evangelistas viviam, eles captaram histórias e narrativas que foram passando de boca em boca, no intuito de guardar e de testemunhar acerca do que foi a vida e o ministério de Jesus e do que ele deixou para a sua geração e as gerações posteriores. À medida que recolhiam essas narrativas eles foram até encontrando coisas já escritas e que vieram a integrar o intuito testemunhal dos Evangelhos. Como resultado desse trabalho encontramos os quatro Evangelhos, com as suas similaridades e peculiaridades. Os três Evangelhos Sinóticos — Marcos, Mateus e Lucas — guardam acentuada sintonia, enquanto o Evangelho de João apresenta um roteiro testemunhal, sem apresentar a linearidade que os Sinóticos procuraram manter. João desenha o seu evangelho usando uma linguagem que lhe é própria e até o distancia dos Evangelhos Sinóticos, mas não de Jesus, e que ele apresenta como o seu *testemunho* que é *verdadeiro* (Jo 21.24), na intenção de que *vocês creiam que Jesus é o Cristo, o Filho de Deus e, crendo, tenham vida em seu nome* (Jo 20.31).

Nesse intuito os Evangelhos enfocam a vida adulta de Jesus, a partir do início de seu ministério público, com destaque para sua morte e ressurreição, a mais forte marca de sua intencionalidade testemunhal. Quanto a seu nascimento não se diz muito e bem menos se diz sobre sua infância e adolescência. São os Evangelhos de Lucas e Mateus que apresentam rasgos do nascimento de Jesus, ainda que em significativa dissintonia. No entanto, ambos apontam para Nazaré como o lugar onde Jesus passou a infância e adolescência, e os quatro Evangelhos vão caracterizar Jesus como o *Nazareno*. O evangelista Lucas apresenta uma narrativa de Jesus aos doze anos, num episódio situado no universo do templo, em Jerusalém. Ainda que sem a preocupação do detalhamento histórico, considero esse material de valor germinal, uma espécie de "janela" que, ao lado de uma "janela" ainda anterior, nos provê algumas referências sobre esse período da vida de Jesus.

Nesta primeira "janela" o evangelista Lucas refere-se à fase da infância e do crescimento de Jesus. Aliás, a cena tem início já por ocasião da apresentação de Jesus no templo, quando ele é identificado pelo piedoso Simeão e pela profetisa Ana como sendo o esperado redentor de Israel. Logo após os pais de Jesus voltam à sua cidade de Nazaré e lá se instalam. Lucas diz, então, que *o menino crescia e se fortalecia, enchendo-se de sabedoria; e a graça de Deus estava sobre ele* (Lc 2.40).[1] Na segunda "janela", Jesus, agora com doze anos, volta para casa com os pais, depois de ser encontrado por eles no templo, numa rara e profunda conversação com os *doutores*; e Lucas conclui: *Então foi com eles para Nazaré, e era-lhes obediente. Sua mãe, porém, guardava todas essas coisas em seu coração. Jesus ia crescendo em sabedoria, estatura e graça diante de Deus e dos homens* (Lc 2.41-52), numa referência bem similar àquela feita por ocasião do Jesus infante.

O crescimento de Jesus é, pois, descrito em quatro dimensões, ou seja, *em sabedoria, estatura e graça diante de Deus e diante dos homens*, apontando para uma qualidade e visão de vida que transmite harmonia e sustentabilidade para si e para o outro. A sabedoria aqui referida vai além de um saber acadêmico e busca, segundo a tradição judaica, um saber para viver bem na comunidade e sob a orientação de Deus. Essa é uma sabedoria que é formadora de caráter. A estatura tem a ver, claro, com o crescimento, mas inclui um bem-estar físico para o qual é fundamental que haja boa alimentação, vestuário adequado e um estilo de vida que inclua a recreação e o lazer. A graça, por

---

[1] Essa apresentação de Jesus tem lugar depois dos quarenta dias de purificação, em referência ao período pós-parto da Maria. Ver Norval Geldenhuys, *Commentary on the Gospel of Luke* (Grand Rapids, MI: Eerdmans, 1979), p. 117.

sua vez, é experimentada tanto na relação com Deus, onde haja um bom conhecimento das Escrituras e uma vida de fé e de comunidade íntegra e consistente, como na relacionalidade humana, expressa no cuidado e na solidariedade, tanto junto aos mais próximos como com aqueles que nos são diferentes.

O que Lucas apresenta em referência ao período de crescimento de Jesus é algo que marca e está presente, com enraizada naturalidade, também na sua vida adulta. Como apontam Harold Segura e Manfred Grellert, essas dimensões, devidamente integradas, apontam para Jesus como o modelo de desenvolvimento humano. Dimensões essas que vão se expressando no decorrer de uma vida e que foram sendo gestadas em Jesus levando-o, no universo de sua vocação, a ser o "homem novo e modelo de humanidade". Aliás, essa identificação de Jesus como "o melhor modelo de plenitude humana" tem sido afirmada na tradição cristã faz muito tempo, sendo o primeiro registro disso encontrado em Inácio, bispo de Antioquia († c. 110).[2]

Um dos aspectos importantes a se destacar ainda, para o qual as expressões de Lucas também apontam, tem relação com a família. Não é demais acentuar que no contexto no qual Jesus cresceu a família era central e fora dela a vida ficava muito difícil. Como diz Pagola, "em Nazaré

---

[2] Harold Segura e Manfred Grellert, "Crianças que crescem como Jesus", in Klênia Fassoni, Lissânder Dias e Welinton Pereira (orgs.), *Uma criança os guiará: Por uma teologia da criança* (Viçosa, MG: Ultimato, 2010), p. 186, 190, com referência ao fato de que Inácio foi o primeiro a usar esta expressão acerca de Jesus. Ver a expressão "o novo homem Jesus Cristo" em sua Carta aos Efésios 20.2, in *Early Christian Fathers*, ed. Cyril C. Richardson (New York: Macmillan Publishing CO, 1970), p. 93.

a família era tudo: lugar de nascimento, escola de vida e garantia de trabalho. Fora da família, o indivíduo fica sem proteção nem segurança. Só na família encontra sua verdadeira identidade", acentuando ainda que a família era compreendida não apenas em sua dimensão micro, mas também estendida e até comunitária.[3] No caso de Jesus não temos nenhuma alusão à sua família mais ampla, além da referência a Isabel como parenta de Maria (Lc 1.36) e das duas versões de genealogia apresentadas por Mateus e Lucas (Mt 1.1-17; Lc 3.23-38). Isso, porém, não significa que a família de Jesus vivia fora do universo do contexto familiar estendido e da comunidade onde se estabeleceram, o que seria contextualmente inviável e até uma negação da própria vivência da encarnação de Jesus. Os elementos que os Evangelhos descortinam, ainda que de forma restrita, apontam para o universo da família nuclear de Jesus. Aliás, as referências a Jesus, a partir da gravidez da Maria, são familiares. Em sonho José é orientado a assumir a Maria, grávida como está, e a assumir o menino, o que ele passa a fazer. É José, segundo o Evangelho de Mateus, que põe o nome de Jesus no menino (Mt 1.25); e foi ele que *tomou o menino e sua mãe* (Mt 2.14) sob o seu cuidado, quando fugiram para o Egito, segundo a orientação de um anjo. José é o pai desse menino e Maria é a sua mãe, e eles estão juntos por ocasião de seu nascimento, de sua circuncisão, de sua apresentação no templo e na volta a Nazaré, onde se instalam como família (Lc 2.39-40). Juntos eles vão em busca do menino desaparecido, então com doze anos, e o encontram

---

[3] José Antonio Pagola, *Jesus: Aproximação histórica* (Petrópolis, RJ: Vozes, 2008), p. 65.

"perdido" no templo (Lc 2.41-52).[4] Enquanto José é o pai silencioso do menino, pois os Evangelhos não registram nenhuma fala dele, Maria nos é apresentada com as suas perguntas, experiências e afirmações, como retratado no conhecido "cântico de Maria" (Lc 2.46-55). José parece ser a pessoa prática, e carpinteiro ele era, enquanto Maria é o coração que assimila, silencia, declama e mergulha na vivência da vocação para a qual foi chamada por Deus. Em dois momentos diferentes o evangelista Lucas nos apresenta Maria guardando no coração os testemunhos que recebe e as experiências que vive (Lc 2.19,50), enquanto vai exercendo a sua vocação maternal junto a esse menino que a faz sorrir, orar e se preocupar. José, Maria, Jesus e os outros irmãos eram uma família típica, e tipicamente pobres eles viviam e conviviam em Nazaré, no que isso significava em termos familiares, comunitários, cúlticos, educacionais e profissionais.

Ao apresentar o menino Jesus integrado em sua família e crescendo de forma inteira e harmoniosa, não se quer dizer que a vida deles era romântica ou que o próprio texto deva ser assim interpretado. É importante destacar que a experiência da gravidez de Maria, as circunstâncias do parto, a luta pela sobrevivência do menino e a posterior instalação em Nazaré foram marcadas por dificuldades e tensões. Na conversa

---

[4] É nessa ocasião que temos a última referência direta a José, e os Evangelhos silenciam quanto ao que aconteceu posteriormente com ele. Uma interpretação da tradição é que ele era bastante mais velho que Maria e faleceu cedo na relação entre ambos. Não antes, porém, de terem vários outros filhos como referido nos diferentes Evangelhos. Ver o verbete "Joseph of Nazareth", in Paul D. Garner (org.), *The Complete Who's Who in the Bible* (Grand Rapids, MI: Zondervan, 1995), p. 374-376.

do anjo com Maria ao anunciar essa estranha gravidez, como também na intervenção divina quando José está para abandoná-la em função dessa situação inusitada, percebe-se o quanto essa tensão estava presente desde o início da vida dessa família. Uma tensão que culminaria com o nascimento de Jesus em circunstâncias inesperadas, num local que acolhia animais, e na apressada fuga para o Egito, em proteção à vida do menino, ameaçada por um Herodes enfurecido. A vida dessa família não foi fácil. Além das circunstâncias em que Jesus foi gerado, nasceu e cresceu, acresce-se o fato de viverem num contexto de pobreza na pequena Nazaré, onde Jesus morou até o início de seu ministério público. Nazaré era um "pequeno povoado nas montanhas da Baixa Galileia", como registra Pagola, com "apenas duzentos a quatrocentos habitantes". Gente que vivia de forma muito simples, em "cavernas escavadas nas encostas" ou, como a maioria, em "casas baixas e primitivas, de paredes escuras de adobe ou pedra, com telhados confeccionados com ramos secos e argila, e chão de terra batida". Com várias casas voltadas para um pátio comum, era lá que transcorria muito da vida doméstica, com o moinho onde se moíam os cereais, o forno onde se assava o pão e o lugar onde se guardavam os instrumentos agrícolas.[5] A expressão mais visível da pobreza da família de Jesus acontece quando, *completando-se o tempo da purificação*, o menino é apresentado no templo e seus pais, conforme diz o texto, ofereceram o sacrifício dos pobres, que consistia em *duas rolinhas ou dois pombinhos* (Lc 2.22-24).[6]

---

[5] Pagola, *Jesus*, p. 62-63.
[6] O texto de Levítico 12.1-8 aponta para a possibilidade desse sacrifício por parte de pessoas *sem recursos para oferecer um cordeiro*.

Convém ressaltar ainda que um dos momentos mais dramáticos e tensos vividos por José e Maria aconteceu por ocasião da fuga deles para o Egito, onde se tornaram refugiados, provavelmente por alguns anos (Mt 2.19-23). Isso se deu num contexto de violência, perseguição e abuso de poder por parte de Herodes, levando a família de Jesus a uma experiência de deslocamento humano forçado. Uma experiência de ontem, mas que ainda hoje se repete, muitas e muitas vezes, especialmente na vida dos mais pobres.

Registramos aqui fundamentalmente três vertentes:

- A descrição do menino Jesus *crescendo em sabedoria, estatura e graça diante de Deus e dos homens* descreve, em poucas palavras, não apenas a infância e a adolescência de Jesus, mas o que deve ser proposto para todas as crianças. Ou seja, ao crescer em sabedoria, estatura e graça diante de Deus e de todas as pessoas, Jesus se apresenta como um paradigma para todas as crianças, e um modelo a inspirar e guiar pais, mães, cuidadores, professores e respectivas autoridades no cuidado para com as crianças. Destaque-se que nesse processo de crescimento das crianças a família, como unidade básica de ternura, cuidado e proteção, é fundamental, ainda que isso nem sempre aconteça ou seja possível neste nosso universo de famílias desconstruídas, separadas e empobrecidas.

- O crescimento de Jesus não acontece num contexto ascético, mas é cercado pelas dimensões de realidade que sempre marcam a vida humana, qualquer que seja o contexto. Ainda mais específico, o crescimento de Jesus acontece num contexto de desafios, insegurança, medo e pobreza, como é tão comum em nossas sociedades, também em nossos dias. Ao estabelecer o crescimento de Jesus como um caminho a ser seguido, o evangelho não nega a realidade de desafios e oportunidades em meio aos quais se vive, mas convida e desafia à resistência contra as práticas e demandas de exploração, exclusão e abandono infantil presentes em nosso tecido social, seja em níveis micro ou macro. Ademais, o testemunho quanto ao crescimento de Jesus se nos apresenta como evangelho. Como uma boa-nova que anuncia e propõe a possibilidade e a necessidade de cuidar e de educar as crianças, todas as crianças, de forma harmoniosa e integrada no universo de uma rede familiar e comunitária marcada pela ternura e pelas melhores práticas pedagógicas. A prática do cuidado das crianças, portanto, se transforma num ato de resistência e de anúncio de uma vivência na qual elas experimentem o crescimento em sabedoria, estatura e graça, diante de Deus e das pessoas.

- O tempo e o lugar nos quais Jesus nasceu e cresceu, como vimos, foram marcados por pobreza, exclusão e violência, assim como é o caso da maioria das crianças que nascem e crescem em nossos dias. Num tempo e num lugar assim, muito embora isso não possa ser generalizado, as crianças se tornam os elos mais frágeis e mais vulneráveis. As crianças são mortas ainda no ventre materno, quando práticas abortivas não respeitam e não cuidam da vida sequer dentro do ventre. As crianças são atingidas, em plena escola, por balas que não são "perdidas", mas certeiras. As crianças são abandonadas por seus pais, geralmente pelos homens, em atitude marcada por um machismo e patriarcalismo prepotente e irresponsável. As crianças são expostas a inimagináveis situações de risco e aviltamento de sua própria humanidade quando são usadas pela indústria da droga, do sexo, da mão de obra infantil ou mesmo como "soldado infantil". As crianças são usadas por uma indústria do consumo que as enche de "produtos" e as transforma em "reis" e "rainhas", quando o que elas precisam é ser apenas crianças cuidadas por adultos responsáveis. A criança, portanto, é o elo mais vulnerável numa sociedade injusta, desigual, violenta e capaz de fazer uso dos mais extremos e inimagináveis instrumentos de morte para garantir o seu *status* e se manter no poder, como Jesus e sua família o experimentaram ao se tornarem alvos da volúpia assassina do rei Herodes. Esses "Herodes" sempre estiveram presentes em nossa história, umas vezes mais explicitamente do que noutras, e precisam ser denunciados em nosso tempo e em nosso contexto.

Os meus anos de ministério junto à VM, seja aqui no Brasil ou em nível internacional, me foram de significativa importância, como já destacado no início deste livro, deixando em mim aprendizados e memórias indeléveis.

Uma dessas memórias me leva ao Evangelho de Lucas, quando ele descreve o crescimento de Jesus com as categorias *sabedoria, estatura* e *graça*. Aprendi que essa descrição poderia e deveria ser aplicada a todas as crianças e à própria

VM em seu ministério junto a elas. A VM, que tem no cuidado das crianças mais vulneráveis a sua vocação maior, decidiu que essas palavras, como articuladas por Lucas, seriam o paradigma a guiar seu trabalho e ser referência em todos os lugares onde ela tem o privilégio e a vocação de servir.[7] Essa opção, no entanto, implicava reconhecer que tais categorias só se tornariam realidade na medida em que se encarnassem no universo de comunidades cuidadoras e famílias cuidadosas, e nunca como um projeto no qual as crianças fossem meras receptoras de alguma ajuda física e material. Ou seja, aquilo que aconteceu com Jesus deveria acontecer com todas as crianças em todos os lugares, na crença de que é isso que Deus espera para as crianças: que elas cresçam em sua dimensão física, em seu saber para o bem viver e na experiência de uma graça relacional, tanto em relação a Deus como em sua inter-relação humana, sob a marca do cuidado e da ternura que as afirmem como crianças e as preparem para a vida adulta. Que elas cresçam de forma sistêmica e integrada, como aconteceu com Jesus. E que, crescendo assim, elas venham a viver assim. A experiência com essa palavra de Lucas e suas implicações institucionais, tanto para a VM como para as comunidades onde ela atuava, foi de significativo valor para mim e me levou a essa espécie de conversão, tanto com relação a todas as crianças como na percepção desse Jesus-criança que foi cuidado por seus pais no contexto de sua comunidade.

A outra memória me leva ao lugar da família no crescimento de toda criança. No caso da VM isso significava

---

[7] Ver o documento intitulado "May Children Grow, as Jesus Grew", cuja cópia tenho em mãos.

que a criança nunca poderia ser vista como "uma criança isolada" num projeto qualquer, mas que ela precisava de uma comunidade e de uma família junto a qual se sentisse cuidada e protegida, além de ser alimentada e bem educada. Essa memória me levou a reconhecer o papel fundamental e, tantas vezes, heroico das mulheres e das mães e avós em seu esforço incansável de cuidar de seus filhos, netos e, muitas vezes, dos filhos de outras mães. A minha caminhada me mostrou que a criança, de fato, não precisa de muitas coisas para estar bem; mas ela precisa de muita presença e cuidado para crescer bem, ainda que a situação externa lhe seja adversa. Quem lhe proporciona isso, em muitos casos, é a mãe, a vizinha, a comunidade, a líder comunitária, transformando a sua vivência, ainda que limitada, em algo familiar. A criança percebe rápido quem é que se importa com ela e cuida dela, e isso tem um rosto preponderantemente feminino em muitos lugares do mundo. Muitas vezes, em meus contatos com comunidades mundo afora, eu dizia "graças a Deus pelas mães e pelas mulheres cuidadoras", ao mesmo tempo que me perguntava "cadê os homens? cadê os pais?". A minha caminhada me mostrou não apenas a ausência destes, mas também me fez ver a forma exploradora, utilitária e machista como os homens muitas vezes tratam a mulher, os próprios filhos e as crianças. O evangelho nos convoca não só a cuidar da criança mas também a enxergar e denunciar aqueles que transformam esse cuidado em exploração. Eu me tornei mais grato por tantas expressões de cuidado, visto tão cabalmente em tantas comunidades pobres, e mais irado com comportamentos e estruturas que mantêm um *status quo* de abandono, descuido e violência.

Uma outra memória continua a me assustar, pois eu não estava preparado para ver a realidade intensa, aguda e avassaladora do mal em nossa sociedade, como já aventado no início deste livro. Em diferentes países e em contato com comunidades em vários lugares do mundo, fui percebendo que a maldade humana parece não ter limites, sendo as crianças as vítimas mais vulneráveis neste tecido social que vai entretecendo o demoníaco em seu meio e transformando-o, em diferentes dimensões, num modo de vida. A menina que é vendida para a indústria do sexo; o filho transformado em mão de obra escrava para pagar a dívida contraída em função de um familiar doente; o pai que precisa trabalhar muito longe e só visita a família duas vezes por ano, ocasião da qual, não raro, surge uma nova gravidez; a bebida que é consumida sem limites, gerando agressão à esposa e aos filhos; a corrupção governamental que se instala em esquemas onde a merenda escolar passa a faltar nas escolas e as crianças precisam aprender com fome; a cultura dos *pets* que se instala de forma tal que estes são cuidados com um esmero que as crianças nunca experimentaram, especialmente quando estão na fila de espera para adoção. Isso para citar apenas algumas situações que apontam para uma sociedade que já não se importa com o mal e, conformada, diz que sempre foi assim. A exposição a essa realidade do mal, em diferentes níveis e situações, me levou a discernir o quanto o mal está presente, de forma patente, agressiva ou mesmo disfarçada, em todos os níveis das relações humanas. Fui percebendo que o mal se transforma em *status quo* e vai se perpetuando de geração em geração, procurando "normalizar" sistemas de castas, classes, raças, gênero e assim por diante de tal maneira que já não seja visto como anormal e injusto, mas como "parte da vida". Fui constatando a importância de um evangelho que, em sintonia com o Reino de Deus, diga não a este mundo mau e anuncie e vivencie uma realidade na qual a criança esteja no meio e seja recebida em nome de Jesus. Uma realidade na qual se escute a voz de Jesus chamando-nos para a conversão que gera humildade e nos faz tornar-nos como crianças, na surpresa de que é assim que alguém se torna realmente humano e, ao mesmo tempo, *o maior no Reino dos céus*. Caso contrário, seria melhor *amarrar uma pedra de moinho no pescoço e se afogar nas profundezas do mar* (Mt 18.3-6). Mas isso já nos leva ao próximo texto. Antes, porém, segue uma pequena história.

O MENINO DOS OLHOS TRISTES

O menino tem duas marcas que carregará pela vida toda. Seja por dentro ou por fora, elas nunca serão esquecidas. Enquanto ele fala as marcas vão se tornando reais para todos nós que estamos na roda e o escutamos.

Uma delas vem das correntes. Desde os oito anos esse menino mirrado já trabalhava de manhã à noite numa "fábrica" de cigarros. No início do expediente lhe acorrentavam o pé. E acorrentado ele produzia, um por um, os cigarros baratos e muito populares em sua cultura. O cigarro era tão fininho que, para enrolá-lo, só com os dedos fininhos de crianças como ele. Mas isso não produz lesões?, alguém perguntaria; mas quem põe corrente em criança não se importa com isso.

A outra marca é visível no dorso de suas mãos ainda em formação. É lá que o capataz o agride com uma barra de ferro quando ele para de enrolar os cigarros que serão vendidos por seu dono. Pode acreditar. As marcas estão lá, gritando como um grito tem sido a sua vida. E a tristeza em seus olhos diz que isso já durou tempo demais — para ele e para muitos outros pares de olhos tristes. Pois, enquanto comíamos o lanche juntos, outras histórias surgiram, com marcas similares advindas de experiências de violência e exploração produzidas por cafetões e capatazes que mantinham um sistema que escravizava crianças à luz do dia.

Estávamos no salão comunitário de uma das vilas típicas da Índia. Uma comunidade com muita gente, muita vida, muita criança e muitos desafios. Aquela sala era o lugar de encontro, de relatar histórias, de experimentar apoio e sonhar o futuro no contexto de um projeto onde muitas dessas crianças são, literalmente, compradas para a liberdade, afirmadas em sua identidade e estimuladas a sonhar com um amanhã diferente.

Mas nem precisa ir à Índia para encontrar crianças marcadas pelas dores da vida e pela pesada mão de exploradores e opressores. Basta ir aos centros de nossas cidades, às vilas de nossos conglomerados, às casas de pais violentos, para ver que a vida é muito difícil para muitas crianças. Muitas vivem à mercê de pessoas violentas e exploradoras e o mal marca presença de forma assustadora, avassaladora, criativa e continuada entre elas e pesando sobre elas. É disso que estamos falando: da *maldade humana*, da nossa maldade, na qual nossa sociedade está aninhada. E o olhar triste do menino é o sinal mais doloroso dessa realidade.

Se algo marcou minha vida nas últimas décadas foi o descortinar da maldade humana. Ela é mais real do que eu imaginava e mais profunda e sistêmica do que posso compreender. É de uma crueldade indescritível e atinge mais gente do que se pode contar. E atinge crianças de um jeito que vai além de toda linguagem, toda poesia e toda lágrima assustada. Ela é tão real quanto o olhar triste daquele menino de corpo marcado e alma dilacerada. Eu passei a acreditar mais no mal e na sua força demoníaca, apesar de todas as explicações iluministas que, nos bancos acadêmicos, tentaram me levar a crer que quanto mais desenvolvido e esclarecido fosse o ser humano, menos mal haveria e quanto mais a ciência avançasse, mais autônomos e racionais e cuidadosos seríamos. Acredito no mal porque o *vi*. Acredito no mal porque o vi nos olhos do menino. Aliás, todos nós o vimos, pois nossa história, nossos jornais, nossas sociedades e o próprio espelho denunciam do que somos capazes. O salmista, ao falar do ímpio, diz que *até na sua cama planeja maldade; nada há de bom no caminho a que se entregou, e ele nunca rejeita o mal* (Sl 36.4). São eles, os ímpios, que fazem tropeçar os pequeninos e os desprezam.

"Fazer tropeçar" é tragédia pura

Quem recebe uma destas crianças em meu nome, está me recebendo. Mas se alguém fizer tropeçar um destes pequeninos que creem em mim, melhor lhe seria amarrar uma pedra de moinho no pescoço e se afogar nas profundezas do mar.

Ai do mundo, por causa das coisas que fazem tropeçar! É inevitável que tais coisas aconteçam, mas ai daquele por meio de quem elas acontecem! Se a sua mão ou o seu pé o fizerem tropeçar, corte-os e jogue-os fora. É melhor entrar na vida mutilado ou aleijado do que, tendo as duas mãos ou os dois pés, ser lançado no fogo eterno. E se o seu olho o fizer tropeçar, arranque-o e jogue-o fora. É melhor entrar na vida com um só olho do que, tendo os dois olhos, ser lançado no fogo do inferno.

Cuidado para não desprezarem um só destes pequeninos! Pois eu lhes digo que os anjos deles nos céus estão sempre vendo a face de meu Pai celeste. O Filho do homem veio para salvar o que se havia perdido.

Mateus 18.5-11

"Fazer tropeçar" não é uma expressão que aparece muitas vezes nas Escrituras. Mas há um determinado momento em que ela surge de forma intensa, conforme relatado pelos evangelistas Mateus e Marcos. Em Mateus essa expressão aparece quatro vezes, no tecido de um texto (Mt 18.6-10) no qual Jesus adverte de forma clara e enfática: ai daquele que *fizer tropeçar um destes pequeninos!* Marcos também registra essa exortação de Jesus, acentuando a mesma mensagem e usando a mesma expressão pelo mesmo número de vezes

(Mc 9.42-48). A palavra usada no texto grego é "escandalizar", que a NVI e outras versões em português traduzem como "fazer tropeçar", dando com isso sentido para a compreensão da palavra na língua original, que significa colocar algo no caminho de alguém, fazendo-o tropeçar. Essa expressão encontra-se explícita no livro de Levítico, em que o povo de Deus, chamado a viver em santidade — *Sejam santos porque eu, o* Senhor, *o Deus de vocês, sou santo* — é instruído a *não pôr pedra de tropeço à frente do cego* (Lv 19.1,14).[8] A expressão "pedra de tropeço", tem, portanto, uma longa história e continua a ser usada e a ter sentido também em nossos dias. À expressão "fazer tropeçar" o Evangelho de Mateus acrescenta o verbo "desprezar", dizendo *Cuidado para não desprezarem um só destes pequeninos*, indicando o risco de se menosprezar o outro, não reconhecendo aquilo que ele é, e assim desvalorizá-lo em sua própria identidade humana, ou seja, em sua própria humanidade. Esses pequeninos, Mateus continua, têm anjos que zelam por eles e devem ser tratados e cuidados com o devido respeito.

A construção das narrativas e o jeito como elas vão encadeando experiências e mensagens é bem importante, como já visto várias vezes. No caso de Mateus existe uma continuidade imediata entre o episódio em que Jesus coloca uma criança no meio da roda de conversa com os discípulos e a palavra que aponta para a tragédia que recai sobre aquele que *fizer tropeçar a um destes pequeninos que creem em mim* ou sobre aqueles que *desprezarem um só destes pequeninos*.

---

[8] A palavra escandalizar vem do grego *skandalon*, que significa literalmente "pedra, obstáculo que faz tropeçar". Ver o verbete "escândalo", in *Dicionário Houaiss da língua portuguesa* (Rio de Janeiro: Objetiva, 2001).

Naquele episódio, vimos que Jesus chama os discípulos à conversão, ressaltando que receber uma criança como ele está fazendo é receber a ele mesmo e que esse gesto de acolhimento é o desenho do *Reino dos céus*. Nesse reino, o menor será o maior. Esse é um desafio bem complicado para os discípulos que, como "bons adultos", estão preocupados em ocupar um lugar de destaque ao lado de Jesus e de sua causa. Dando um passo além nessa conversa, Jesus aprofunda o argumento e denuncia esse jeito de viver e de encarar as oportunidades, aparentes ou projetadas, como os discípulos estão fazendo. Essa dura narrativa acaba sendo uma das mais fortes palavras de Jesus, pois constitui-se numa profunda denúncia quanto ao exercício do poder como espaço de mando e de controle, mesmo que para isso seja necessário fazer o outro tropeçar. E pior ainda quando esse outro é o pequenino, é a criança que continua no meio deles. É a criança que os discípulos tentarão impedir de chegar até Jesus, como se verá logo adiante (Mt 19.13-15). Esse texto acaba sendo assustador e de difícil absorção. Não simplesmente pelo desafio de entendê-lo em si mesmo, mas pela dificuldade de entendê-lo contra nós, pois é aos seus seguidores que Jesus está falando.

No Evangelho de Marcos a narrativa não é diferente. Até se poderia dizer que nele o assunto é bem mais tenso e revela bem mais da agenda e da inclinação do coração dos discípulos. Logo após a passagem que apresenta a criança no meio, o discípulo João introduz outro assunto, como já referido anteriormente, reportando que eles haviam encontrado, nas andanças do dia, um homem que estava expulsando demônios em nome de Jesus e que eles o haviam proibido de fazer isso, pois ele não fazia parte do grupo. A resposta de Jesus é que essa não era a postura mais apropriada, pois ele reconhecia qualquer gesto em seu nome como um ato de pertença, ainda que esse gesto se constituísse num simples copo d'água servido a alguém com sede. E, ato contínuo, Jesus introduz a conversa sobre o risco de fazer tropeçar a *um destes pequeninos que creem em mim* (Mc 9.42), como se estivesse a dizer que o assunto anterior não havia sido concluído; ele queria manter em foco os pequeninos, a relação com eles e a percepção do que significava seguir a Jesus. Estava, assim, denunciando qualquer tentativa de construir um monopólio que pretendesse controlar o acesso a ele ou agir em seu nome, e validando qualquer ação que servisse um copo d'água ou expulsasse demônios em seu nome. Qualquer iniciativa que viesse *salvar o que se havia perdido*, para continuar com a linha argumentativa de Mateus.

Essa clara e dura palavra de Jesus poderia ser resumida com ele dizendo que seria melhor morrer do que fazer tropeçar a alguém outro, um pequenino, por mais que se viva numa realidade na qual isso pareça ser inevitável. Entremos um pouco mais nessa narrativa, enfocando a versão de Mateus, para procurarmos entender e aceitar o que Jesus está dizendo.

O texto inicia afirmando e não perguntando, o que é típico das narrativas bíblicas, que não trabalham com hipóteses ou conceituações. O texto fala da realidade: vivemos numa cotidianidade na qual é inevitável enfrentar situações nas quais "agentes de tropeço" ocupam espaços decisórios e determinam o que eles fazem, o que os outros podem fazer e o que estes outros podem e devem fazer para eles. Ainda que essa seja uma realidade, no entanto, esse agente de tropeço carece ser identificado e responsabilizado, pois não se pode simplesmente aceitar e se conformar com essa prática. Ao denunciar os agentes de tropeço o evangelho aponta para a necessidade de transformar realidades "inevitáveis". O evangelho busca a transformação de uma situação na qual uns fazem outros tropeçarem, criando uma realidade de injustiça, exploração, exclusão e, assim, desconstruindo o tecido da humanidade: a sua e a dos outros. No universo dessa prática criam-se sistemas, práticas e estruturas socioeconômicas e político-culturais que forçam e mantêm esse quadro de desumanidade que Jesus denuncia. A face mais explícita dos que sofrem essa realidade é a criança, e Jesus a coloca no meio como denúncia de um jeito egocêntrico e sistemicamente injusto de viver e como anúncio de um novo e possível estilo de vida chamado Reino de Deus. Os convertidos a esse reino serão como as crianças, iguais em humanidade e nas quais a relacionalidade é marcada pela transparência e pela humildade, superando, assim, a tentação e a tentativa de uns poucos de se sobreporem aos demais. Nesse reino, em que o menor será o maior, já não se governará pela volúpia do poder que se exerce fazendo o outro tropeçar. Nesse reino Jesus é o modelo. Jesus e a criança. A criança e Jesus. De forma particular Jesus chama os discípulos a constituírem essa comunidade de iguais e de cuidado mútuo. A comunidade na qual a humanidade floresce e na qual Jesus é o ponto de partida e de chegada.

No universo do evangelho o futuro está aberto, pois Jesus está comprometido com a existência dessa comunidade. Mas ela requer muita desconstrução. A desconstrução dos sonhos e ambições de grandeza e de controle. E requer também muito cuidado em relação ao outro, para que este não tropece, pois continuar provocando a queda do outro trará consequências trágicas e assustadoras. Consequências que não irão esperar para tornar-se realidade no futuro, mas que se manifestam na hora mesma em que se faz o outro tropeçar. Consequências que encontram o seu lugar de fermentação no interior mesmo do agente de tropeço, ao levar a efeito um processo de autodesumanização e de brutalização da vida. Como destacam Haddon Willmer e Keith J. White, "ao fazer com que um pequenino tropece no caminho da vida, os agressores se colocam contra a vida, fora da vida, mesmo enquanto vivem".[9] A humanidade começa a morrer no momento em que o outro é levado a tropeçar. Nesse momento do texto as imagens que Jesus usa não poderiam ser mais fortes e enfocam particularmente esses agentes de tropeço:

- *Se alguém fizer tropeçar um destes pequeninos que creem em mim, melhor lhe seria amarrar uma pedra de moinho no pescoço e se afogar nas profundezas do mar* (Mt 18.6).
- Se o que causou o tropeço do outro foi a minha mão ou o meu pé, estes devem ser cortados; ou se foi o meu olho, deve ser arrancado e jogado fora (Mt 18.7-9).

Nada vale a pena cultivar e manter se o cuidado para com o outro não estiver presente. Não vale a pena manter a mão, o pé ou o olho quando o que está em jogo é o cuidado para com o outro e quando o resultado desse descuido é o *fogo do inferno*. Nenhuma posição vale a pena ser mantida, nenhum

---

[9] Haddon Willmer e Keith J White, *Entry Point: Toward Child Theology with Matthew 18* (Londres: WTL Publications, London, 2013), p. 180.

status preservado, nenhum sistema cultivado, nenhuma prática alimentada, se o resultado for o tropeço do outro — da criança, do pequeno, do vulnerável. *Ai do mundo, por causa das coisas que fazem tropeçar*, ou *Ai da pessoa por meio de quem isso acontece!* (Lc 17.1), pois a consequência será trágica e funesta: quem se tornar uma pedra de tropeço, melhor que agarre essa pedra, uma pedra de moinho, e a pendure no próprio pescoço, para em seguida lançar-se — lançar a si próprio — nas *profundezas do mar*, pois é melhor morrer do que fazer um pequenino tropeçar. E como se essa imagem não bastasse, os dois evangelistas retratam a Jesus buscando ainda outras imagens para clarear e aprofundar o que está dizendo. E nessa imagem, vale sacrificar a mão, o pé e o próprio olho ao invés de causar tropeço num pequeno, pois caso contrário o destino do *fogo do inferno* será inevitável. E, numa mudança de imagem, Jesus alerta que é melhor tomar consciência de que esse outro que se fez tropeçar, esse pequenino, não é simplesmente ele, mas ele com o seu anjo. Um anjo que cuida do pequenino a partir de sua presença junto à *face de meu Pai celeste*, diz Jesus. Um anjo. Imagine! É melhor não mexer com o pequenino que tem um anjo cuidando dele.

Sim, é melhor se assustar! Pois, insisto em repetir, as imagens deixam claro que fazer tropeçar a *um destes pequeninos* mexe com céus e inferno. Com anjos que protegem as crianças e o fogo do inferno destinado aos agentes de tropeço. Seria possível usar imagens mais fortes e mais claras? A pergunta é se elas nos assustam ou se continuamos a dizer que "as coisas são assim mesmo" neste mundo, pois é *inevitável que tais coisas aconteçam*. Neste mundo convivemos com essa inevitabilidade, mas no mundo de Deus são anjos que cuidam dos pequeninos e no seu reino não haverá *uma criança que viva poucos dias*, para usar mais uma vez a imagem que nos vem do profeta Isaías (Is 65.20). No mundo de Deus a criança está no meio. A criança e Jesus. Jesus e a criança.

A brutalidade de Herodes e o cuidado dos anjos

Na busca de uma visualização histórica do que seria fazer o pequenino tropeçar e quem poderia ser identificado como aquele que o faz tropeçar, trago à memória um momento narrado pelo evangelista Mateus. No irromper dessa narração nos vem aos ouvidos o desesperado choro de Raquel porque os seus filhos *já não existem*. Haveria tropeço mais aviltante, mais profundo, mais desumano e mais cruel do que impedir a criança de viver, do que matar o filho pequeno diante de uma mãe impotente e desesperada? Aliás, muitos filhos? Pois é disso que Mateus fala quando diz que o rei Herodes, diante do engano que lhe foi imputado pelos magos, que não o informaram acerca do local de seu encontro com o menino Jesus, mandou matar *todos os meninos de dois anos para baixo, em Belém e nas proximidades* (Mt 2.16-18). Sentindo-se ameaçado em sua posição de mando e em seu poder absoluto, ele fez o que sabia muito bem fazer: mandou matar, eliminando qualquer ameaça que pudesse lhe fazer sombra real ou ilusória. Mandou matar todos os meninos abaixo de dois anos, para não correr qualquer risco de deixar escapar "aquele menino" que os magos haviam identificado como o *rei dos judeus* (Mt 2.2). Matou-os a todos, assim como havia mandado matar três dos seus muitos filhos e uma das suas muitas esposas, em proteção ao seu posto de mando.

Invocando uma palavra do profeta Jeremias, o evangelista evoca um choro profundo e uma grande lamentação, pois Raquel, assim como tantas outras mães, já não tinha consigo os seus pequeninos e não havia consolo que pudesse aplacar a dor delas. Na memória bíblica Herodes passou a ser o executor do que a tradição cristã tem chamado de "massacre dos inocentes", e sobre a sua cabeça paira a palavra de Jesus que diz *ai daquele!* Ai do Herodes que morreu assim como viveu: de forma atribulada, insegura e prepotente, apesar de todas as conquistas e construções atestadas em seu longo reinado, que se estendeu do ano 37 a.C. até 4 ou 5 d.C. O historiador Josefo conta que, pressentindo sua morte e com receio de que esta fosse celebrada entre os judeus, Herodes mandou prender "os mais ilustres homens de toda a nação judia" com a ordem de que eles fossem mortos logo após a sua morte, pois assim haveria um lamento popular. Um lamento do qual ele se achava digno e merecedor de um esplêndido funeral, ainda que suspeitasse que tal lamento por ele mesmo não ocorreria.[10]

No entanto, por mais que Herodes procure controlar os acontecimentos no exercício do poder, e para isso faça tropeçar a muitos, as estrelas, os sonhos, os anjos e as próprias profecias antigas lhe escapam do controle. A fuga do menino Jesus para o Egito, em virtude de um sonho dado a José, é um furo no macabro esquema do tirano e uma demonstração da limitação de seu controle e de suas fronteiras.

---

[10] *The Works of Josephus*, traduzido por William Whiston (Lynn, MA: Hendrickson, 1984), p. 469. A sua irmã Salomé, a quem ele havia encarregado dessa ordem, não a cumpriu e mandou soltar todos os que haviam sido presos, antes de anunciar a morte de Herodes.

O anjo é sinal de garantia da sobrevivência da família de José (Mt 2.12-15), e sobre isso Herodes não tem o mínimo controle. Assim, por mais inevitável e até incompreensível que seja a realidade de um mundo onde tantos "Herodes" façam tantas "Ráquéis" chorarem em inconsolável desespero, os anjos, a serviço de Deus, furam os controles e os esquemas em afirmação, não de desespero mas de esperança. Uma esperança que não nega a realidade e que não dá a esta o direito da última palavra, por mais difícil que seja aceitar o fato de que, enquanto Raquel chora a morte dos seus filhos, Maria tem o seu menino nos braços e ele está vivo.

MINHA QUERIDA MARIA[11]

Já faz umas semanas que eu saí daí e estou com muita saudade de você e das crianças. É muito ruim estar sozinho sem vocês, como agora. Eu nem consigo comer e dormir direito, de tanta saudade. Olho no espelho e vejo a minha barba desajeitada, o colarinho torto... Parece que longe de você eu fico mais velho.

Mas eu tinha de vir. Precisava achar um lugar para a gente morar. Já passamos um bom tempo no Egito e é hora de voltar para nossa terra, mesmo sabendo que vai ser difícil recomeçar a vida aqui em Israel. Gente pobre como nós não encontra trabalho fácil, e se instalar pode demorar.

---

[11] Essa carta imaginária é baseada na narrativa de Mateus 2.13-33, que é, para mim, um dos textos mais difíceis da Bíblia. Na carta, o período de exílio, no Egito, está terminando, e José faz uma viagem de leitura do ambiente avaliando o lugar onde se instalarão como família.

Mas, Maria, não podemos esquecer que nestes últimos anos a nossa vida foi bem marcada por visitas de anjos. Eles vêm e anunciam coisas impossíveis que têm produzido em nossa vida rupturas jamais imaginadas bem como uma sobrevivência bem cuidada. Como você diz, "Deus tem sido muito bom conosco. Ele tem nos sustentado e tem cuidado de nós, e isso não devemos esquecer". Estou tentando, Maria. Estou tentando não esquecer.

Me desculpe falar tanto, Maria. Acho que a saudade me faz falar mais do que quando estou em casa e você fica me cutucando por estar muito quieto. A saudade parece soltar a minha língua, ou melhor, a minha mão, e lhe mando estes desajeitados rabiscos que espero que você entenda.

Mas tem mais uma coisa que ainda preciso contar. Agora estou em Belém, de onde saímos correndo pouco tempo atrás. Você nem imagina o que aconteceu por aqui. É inacreditável! Os meus temores se tornaram realidade. Ainda pior, nem os meus piores temores podiam imaginar a crueldade da realidade. Lembra como saímos daqui assustados e orientados? Assustados com as coisas que envolveram o nascimento de Jesus, o nosso filho mais velho, e orientados pelo anjo para que fugíssemos para o Egito o mais rápido possível. E foi o que fizemos, pois havíamos aprendido que quando anjo fala a gente obedece; e o nosso coração tremeu ao saber que aquele Herodes, do qual ninguém parecia gostar, queria matar a criança.

E assim fugimos. O menino sobreviveu e nós, vivendo no Egito, sabíamos muito pouco do que acontecia por aqui. Pois não é que aquele desgraçado veio atrás de nós, completamente louco? É assustador quando os poderosos ficam loucos! E Herodes foi o pior de todos, pois fez o que a gente nem consegue imaginar. Quando ele percebeu que os magos o haviam enganado, mandou seus soldados brutamontes para cá com a ordem de matar todos os meninos com menos de dois anos em toda esta região. Ah, Maria! Ainda bem que você não veio comigo, pois o seu coração não iria parar de sangrar e ninguém iria conseguir enxugar as suas lágrimas. Pois é isso que se vê aqui: corações partidos e lágrimas que correm sem parar. Um verdadeiro desespero. Uma palavra dos nossos profetas tornou-se viva no coração das pessoas, nas conversas de esquina e em nossas sinagogas:

Ouviu-se uma voz em Ramá,
choro e grande lamentação;
é Raquel que chora por seus filhos
e recusa ser consolada,
porque já não existem.

Eu sei, Maria, que carta não é o melhor lugar para falar dessas coisas. Mas o meu coração apertado precisava falar com alguém, e esse alguém é você. Eu não consigo dormir. E quase não dei conta de ir à sinagoga, como é nosso costume. Não me sai da cabeça que Herodes matou todos os meninos daqui porque queria matar o nosso menino! O anjo de Deus nos avisou e a gente escapou; mas por que ele não fez o mesmo com as outras mães que agora choram a falta de seus filhos? Por que Deus deixou acontecer isso e não fez alguma coisa? E nós, Maria, como a gente fica em tudo isso? Como evitar de pensar que a gente escapou e o nosso filho está conosco, enquanto "as Raquéis" choram com os braços vazios, o coração despedaçado e indagam por quê? E eu também me pergunto: por quê? Por quê?, eu insisto em me perguntar, ao mesmo tempo que tenho medo de perguntar, por não entender e aceitar. Não sei, Maria. Não sei.

Amanhã cedo eu sigo adiante. Decidi que não vamos morar nas redondezas de Belém. Fiquei com medo, pois reina aqui o filho daquele assassino. Vou para Nazaré, de onde saímos quando você ainda estava grávida de Jesus. Lá temos nossos familiares e eu vou conseguir arrumar trabalho e a gente vai poder se instalar e cuidar do nosso filho, coisa que as mães daqui não podem mais fazer, por causa daquele miserável do Herodes. Ainda bem que ele já morreu, e morreu tarde! Eu sigo caminho, com muita raiva dele, desses governantes que nos querem matar em vez de nos ajudar a viver. E sigo caminho com perguntas acerca de Deus, que parece tão ausente de situações nas quais gostaríamos que agisse com mão forte.

> Ainda que eu esteja muito pesado, não queria que você se preocupasse comigo, Maria. Quando voltarmos a nos encontrar vamos conversar e orar muito sobre essas coisas. Sigo caminho na esperança de que esta carta chegue às suas mãos antes de eu voltar para arrumarmos a trouxa e retornarmos à nossa terra.
>
> Com saudade,
> José, o carpinteiro de Nazaré

Entender e aceitar o papel dos "Herodes" que fazem tantos tropeçarem, no decorrer da história, é um desafio para o qual nenhuma resposta parece ser suficiente. As próprias Escrituras registram sua realidade, sua ação e suas consequências dizendo, nas palavras de Jesus, que *é inevitável que tais coisas aconteçam* (Mt 18.7). As Escrituras convivem com essa inevitabilidade e com os seus protagonistas que, afinal, não são eliminados, mas continuam a gerar o choro da Raquel, em significativa angústia diante da aparente inação e do aparente silêncio de Deus. Angústia e dúvida que podem ser alimentados, ainda mais, diante de uma aparente seletividade da parte de Deus, pois as Escrituras nos mostram Maria com o filho nos braços e com a família salva e protegida pela intervenção do anjo, enquanto Raquel, e tantas outras mães como ela, têm os braços vazios e o coração inconsolável, sem receber de Deus uma resposta quanto à inevitabilidade da ação de Herodes. Eu, como tantos outros, sou apenas mais um que, perplexo, preciso dizer que sei fazer as perguntas mas não sei e não me atrevo a articular nenhuma resposta, pois nenhuma delas irá além do teto da minha imaginação, da minha angústia e da minha racionalidade. O que eu gostaria de fazer é voltar às Escrituras, na busca de algum discernimento quanto a essa inevitabilidade e de um caminho que me permita vislumbrar alguma reação e protesto. Antes, porém, eu aponto para o fato de que o choro da Raquel de hoje é o choro da Maria de amanhã. Pois, anos mais tarde, é Maria, a mãe do menino salvo das mãos do Herodes pai, quem levanta seu lamento, quando seu filho é vítima do Herodes filho (Lc 23.6-12). Raquel e Maria choram juntas, ainda que em diferentes tempos, e nós, surpresos, discernimos o choro de Deus com elas, como expresso por Jesus ao chorar sobre Jerusalém por esta não ter reconhecido a oportunidade que Deus lhe havia concedido (Lc 19.41-44).

Voltando às Escrituras, discerne-se que Herodes não é uma figura apreciada por elas, seja Herodes, o Grande, seja Herodes Antipas, um de seus filhos e sucessor. Do primeiro as Escrituras falam por ocasião do nascimento de Jesus; e do outro, por ocasião da vida ministerial de Jesus e dos primeiros anos da igreja. A forma como a morte do segundo é descrita, no livro de Atos, é uma boa expressão de como ambos são percebidos nas Escrituras. Aliás, eles e aqueles que, como eles, deixam de perceber seu lugar e seu papel na história e já não fazem ou se negam a fazer a diferença entre o que lhes pertence e o que pertence a Deus, como foi expresso classicamente por Jesus: *Deem a César o que é de César e a Deus o que é de Deus* (Mc 12.17). Vejamos a descrição no livro de Atos: *No dia marcado, Herodes, vestindo seus trajes reais, sentou-se em seu trono e fez um discurso ao povo. Eles começaram a gritar: "É voz de deus, e não de homem". Visto que Herodes não glorificou a Deus, imediatamente um anjo do Senhor o feriu; e ele morreu comido por vermes. Entretanto a palavra de Deus continuava a crescer e a espalhar-se* (At 12.21-24). Os Herodes de ontem e de hoje, quaisquer que sejam seus nomes, têm uma arrogância doentia e uma insaciável sede de poder que faz tropeçar a muitos; no entanto, não podem ser designados pela história como os grandes vencedores, pois neste caso o desespero reinaria sobre todos e para sempre em nossas sociedades. Na narrativa bíblica o desespero é quebrado pelo Deus que não permite a Herodes se eternizar e que se revela na manjedoura através daquele que irrompeu na história como *uma salvação preparada à vista de todos os povos*, como disse o velho Simeão (Lc 2.31). As Escrituras deixam muito claro que Herodes não tem a última palavra. Quem tem essa palavra é o Deus menino.

As Escrituras denunciam não apenas Herodes, mas também a todos aqueles que fazem os pequenos tropeçarem, independentemente do nome que tenham e do posto que ocupem; e advertem que seria melhor eles morrerem do que entrarem como protagonistas neste mundo da inevitabilidade do mal. É importante registrar que as Escrituras têm uma leitura muito acurada da realidade na qual nós vivemos, e ressaltam que ninguém pode se considerar justo e melhor do que o outro, o que é expresso na carta de Paulo aos Romanos quando diz que *não há nenhum justo, nem um sequer* (Rm 3.10). Nessa sua análise da realidade as Escrituras vão tão fundo que me dizem que Herodes sou eu. De forma novamente assustadora, elas não me permitem falar de Herodes como "o outro" sem falar também de mim como "Herodes". O clássico Sermão do Monte, como desenhado no Evangelho de Mateus, nos oferece o roteiro que nos leva a concluir, diante do espelho, que também somos Herodes. Ao falar de uma série de assuntos-chave neste mundo da inevitabilidade do mal, Jesus leva a questão para um nível mais profundo. Ele o leva para o nível da interioridade e não apenas para o da exterioridade. Ao olhar para questões como homicídio, adultério, divórcio, palavras empenhadas e a própria relação com o inimigo, Jesus diz, em cada um desses casos: *Vocês ouviram o que foi dito aos seus antepassados,* para logo acrescentar, *mas eu lhes digo* (Mt 5.21-48), levando os ouvintes a concluir que o evangelho denuncia não apenas aquele Herodes, o Grande, com todos os seus escancarados e terríveis tropeções, mas também o "Herodes, o Pequeno", que somos nós, com o nosso, por vezes, disfarçado, editado e escondido agenciamento de tropeços. Afinal, quem nunca pensou mal de alguém, ou desprezou aquele com quem não concordava, ou prometeu algo que não podia cumprir ou alimentou uma vingança no coração? Quem? Quem, afinal, não fez algum dos "pequeninos" tropeçar? Quem?

O livro de Elena Ferrante intitulado *A vida mentirosa dos adultos* começa assim: "Dois anos antes de sair de casa, meu pai disse à minha mãe que eu era muito feia. A frase foi pronunciada a meia voz, no apartamento deles"; e a vida da Giovanna nunca mais foi a mesma. Ela própria reconhece que se o seu pai soubesse que ela o estava ouvindo, ele "nunca teria falado daquela maneira, tão distante da leveza divertida que nós costumávamos usar", mas continua: "Foi assim que, aos doze anos, soube pela voz do meu pai, sufocada pelo esforço de mantê-la baixa, que eu estava ficando igual à sua irmã, uma mulher na qual — eu o ouvira dizer sempre — feiura e maldade coincidiam perfeitamente".[12] E com esse comentário a vida da Giovanna foi marcada pelos difíceis dias e anos que se seguiram. Mas, convenhamos, quem nunca fez um comentário a meia voz, sem a menor suspeita de que estava levando alguém a tropeçar? Ou até poderia ser diferente: quem nunca fez um comentário "a voz inteira" no claro intuito de que o outro o escutasse, ainda que Jesus tenha dito que é terrível machucar o outro com intento?

No cenário onde uma mulher encontrada em adultério foi levada à presença de Jesus e publicamente acusada para que este a condenasse, nasce uma palavra de Jesus que é tão curta e revela tanto: *Se algum de vocês estiver sem pecado, seja o primeiro a atirar pedra nela* (Jo 8.7). Então os pretensos "sem pecado" foram saindo de cena um após o outro. E nós, perguntariam as Escrituras, não estaríamos também entre os acusadores? Mas, de forma surpreendente, elas dizem algo mais. Elas convidam a ficar um pouco mais na cena, para escutar a palavra de Jesus que diz: *Eu também não a condeno. Agora vá e abandone a sua vida de pecado* (Jo 8.11). É com esse comentário que uma janela de esperança se abre. A esperança da conversão, a esperança da graça e o anúncio de uma comunidade dos acolhidos e dos perdoados. Ser "Herodes", grande ou pequeno, não precisa ser a coisa definitiva na nossa vida. Pode-se ser como a mulher adúltera que recebe o perdão de Jesus e experimenta de sua graça. Mas isso também é assustador. É assustador pelo reverso da graça. Um bom susto que convida a uma mudança radical de vida.

---

[12] Elena Ferrante, *A vida mentirosa dos adultos* (Rio de Janeiro: Intrínseca, 2019), p. 9, 13.

Esse é o caminho para o qual as Escrituras apontam. Elas nos dizem que somos aqueles que fazem o outro tropeçar e, num gesto de profunda esperança, convidam a reconhecermos essa mesma postura de vida, em toda a sua inevitabilidade, levando-nos a uma experiência na qual ouvimos Jesus dizer: *Não será assim entre vocês. Ao contrário, quem quiser tornar-se importante entre vocês deverá ser servo* (Mt 20.26). É sendo servos que ajudamos o outro a levantar, ao invés de fazê-lo tropeçar.

FAZER TROPEÇAR? O QUE É ISSO?

Assim me perguntei muitas vezes. Será que eu havia escutado bem? Será que eu queria entender? Quem sabe seja simples... mas não para mim.

Fazer tropeçar seria:

- Desprezar o outro, o pequenino, por só pensar em mim mesmo?
- Negar ao outro o direito de ser ele mesmo em sua humanidade e dignidade?
- Controlar espaços, recursos e relações, gerando no outro níveis de dependência que limitam e desfiguram sua própria sobrevivência e dignidade humana?
- Desconstruir a sacralidade e a dignidade da vida, a minha e a do outro?
- Impedir ao outro o acesso a Jesus e repreender qualquer um que use o nome de Jesus sem que faça parte da "minha turma"?

- Não aceitar que o caminho para Jesus passe pelo outro, e muito menos o pequenino?
- Não admitir que no Reino de Deus só haja "pequeninos", por considerar-me merecedor de um lugar "adulto" naquele universo?
- Não querer nenhum anjo cuidando de ninguém, pois ele atrapalha o controle e a manipulação do outro?
- Ignorar a realidade do mal que destrói por dentro e por fora?
- Viver para ser servido e não para servir?
- Não aceitar a humildade como um valor a marcar a humanidade e a convivência humana, em função do fascínio com postos de domínio e poder, seja à direita ou à esquerda dos "grandes"?
- Não aceitar que o outro, inclusive o que faz tropeçar, possa ser buscado e acolhido na roda dos que, convertidos, recebem a bênção de Deus?
- Não aceitar, nem sequer considerar, que eu próprio deva me converter?

Depois de uma caminhada atenta, cuidadosa e até periclitante pelos meandros das narrativas que não nos chegam fácil, estas vão deixando em nosso peito um misto de gratidão e susto. Gratidão por nos levarem por caminhos que ajudam a entender um pouco mais do desenho desse Reino de Deus onde todos têm lugar, onde os pequeninos devem ser cuidados e onde a comunidade de iguais é formada como sinal de restauração e de esperança num mundo de tantos tropeçados e tantos derrubadores. E o susto que brota da percepção da inevitabilidade do mal e suas destruidoras consequências na vida dos outros, especialmente das crianças. Que ninguém se considere imune a quedas nem livre do risco de provocar a queda dos outros. Nós fazemos tropeçar e vivemos numa comunidade de "pedras de tropeço" e de pequeninos que foram levados a tropeçar. Se a Raquel chora porque os seus filhos *já não existem*, não adianta tapar os ouvidos e fechar os olhos dizendo que foi "uma bala perdida" que os vitimou, pois as digitais que marcam essa infinidade de "armas de tropeço" compõem um terrível menu de tropeços individuais e coletivos. Esse menu, do qual nós também fazemos parte, precisa nos levar a ouvir a Raquel, chorar com ela e pedir que ela chore também por nós.

Concluo este capítulo com três anotações que me parecem brotar das narrativas que acabamos de acompanhar, sem deixar de considerar que fazem parte de uma grande narrativa.

É preciso olhar mais fundo e ir mais fundo

A narrativa do tropeço está totalmente voltada para os que *fazem tropeçar*, com ênfase na radicalidade com que isso deve ser evitado, acentuando as consequências eternidade adentro. Há um silêncio sobre as vítimas desse tropeço, bem como um silenciamento que evita apontar como "pedras de tropeço" questões como o aborto, o abuso de crianças, a mão de obra infantil, a erotização da infância, a objetificação da criança como consumidor, para usar uma linguagem e exemplos com os quais convivemos. Mas sobre isso o texto silencia. No entanto, as indicações que as narrativas bíblicas nos dão apontam em duas direções. A primeira nos diz que a realidade não é nem desconhecida nem ignorada. Há, pelo contrário, uma profunda identificação com "o choro da Raquel". Ou, dito de outra forma, Deus não ignora, mas abraça a Raquel que perdeu o filho por uma bala certeira. Deus não apenas escuta e recebe o choro dela, mas chora com ela, como Jesus chorou com Marta e Maria pela morte de Lázaro. Deus não é alheio à infinidade de intenções e estratégias de tropeço existentes em nossa sociedade e percebe o profundo enraizamento destes em nosso tecido social, a ponto de Jesus dizer que *é inevitável que tais coisas aconteçam* (Mt 18.6). A realidade é absolutamente presente diante de Deus e chega a ele a partir das vítimas. Nunca chega como mero diagnóstico, mas como choro, fome, sede, tristeza, abandono, para citar algumas das inevitáveis consequências dos tropeções provocados pelos agentes de tropeço. A narrativa bíblica vai além do diagnóstico da realidade. Vai além do sintoma e busca a causa. Vai em busca não apenas daquilo que faz tropeçar, mas também daquele que causou a queda, e tem com ele uma conversa extremamente séria, a ponto de lhe dizer que não vale a pena ele zelar por seu sucesso, acúmulo de bens, exercício de poder e controle, bem-estar e, inclusive, por uma vida arrumadinha, se ele está agenciando, nutrindo ou escondendo as "pedras" que farão outros tropeçarem. Nada, diz o texto com assustadora radicalidade, nada vale a pena se a causa do tropeço não for eliminada. Nem olho, nem mão, nem pé, nem vida. E caso uma mudança de vida não ocorra, não há nem presente nem futuro que valha a pena viver. O resultado será uma vida infernal no inferno. Ao mergulhar fundo na causa que levou a fazer o outro tropeçar, o texto se coloca diante de nós como um espelho, ecoando a palavra de Paulo quando diz que *todos pecaram e estão destituídos da glória de Deus* (Rm 2.23). Os pequeninos que o digam.

Quem são os pequeninos?

Não é possível deixar de perceber que tanto Mateus como Marcos transitam da palavra *criança* para a palavra *pequeninos*, de um versículo para outro. É natural e até inevitável, portanto, dizer que a criança é o pequenino e o pequenino é a criança. A criança tem um lugar especial no coração de Jesus e é colocada por ele como um sinal do Reino de Deus. A criança precisa ter o caminho aberto para encontrar a Jesus e dele receber a bênção; e a criança precisa ser cuidada para que possa *crescer em sabedoria, estatura e graça diante de Deus e dos homens*. Mas a criança, também é preciso ressaltar, faz parte de um grupo mais amplo, e estes são chamados de *pequeninos*. À medida que o texto faz a transição da *criança* para o *pequenino* o leque se abre num bonito e necessário mapa evangélico. É importante destacar de novo que os Evangelhos não se propõem falar da criança como se ela fosse um ente isolado e pudesse viver separada de uma família e de uma comunidade. O evangelho não separa as pessoas, mas as junta e as integra. O evangelho não trata simplesmente de um grupo de pessoas, seja isso étnico, racial, social, econômico ou cultural, mas propõe a superação de divisões e processos de integração. E a porta de entrada para essa construção comunitária mais justa, mais igual, mais respeitosa e divertida são os pequeninos. São aqueles que, de forma prioritária e proposital, são as vítimas da rasteira maléfica de alguém que os derrubou, privando-os de uma qualidade de vida que seja digna da própria vida. E são os que se deixam chamar e abençoar por Jesus, em humildade e confiança.

A Bíblia fala dos pequeninos em diferentes momentos e com diferentes aproximações, não nos permitindo, porém, uma definição reducionista de quem sejam eles. Aliás, o que se deve não é buscar uma definição, mas sim encontrar o pequenino e tornar-se um deles. Em Mateus 25.31-46, na narrativa nominada de "o grande julgamento", os pequeninos são apresentados como *meus pequeninos irmãos* (Mt 25.40, NAA) e como os *mais pequeninos* (Mt 25.45), vislumbrando assim dois universos de quem eles são. Os *mais pequeninos* são os que têm fome e sede. São os forasteiros, os enfermos, os destituídos, os presos (Mt 25.42-43,45). São aqueles que carecem de um copo de água fria (Mt 10.42), de acolhimento e cuidado. São aqueles com os quais se deve ter muito cuidado para que nenhum deles se perca e empreender todo o esforço necessário para que cada um deles seja encontrado e integrado à comunidade humana (Mt 18.14). Os *pequeninos* são os que *creem em mim* (Mt 18.6), como diz Jesus, e tem a sua sede e fome saciados. Desses pequeninos fazem parte as crianças, como a que ele colocou no círculo dos discípulos, bem no meio deles. Ou podem ser também os próprios discípulos, a quem Jesus não apenas chama a serem pequeninos, em processo de conversão (Mt 18.2), mas também os afirma como sendo recebedores da revelação dos segredos do Reino de Deus, o que é motivo de profunda exultação por parte dele (Lc 10.21-24). As crianças e os pequeninos fazem parte de um grupo de pessoas com as quais Jesus se assenta e as quais ele veio salvar. Eles são *os doentes que precisam de médico*. Eles são *os pobres, os aleijados, os cegos e os mancos* (Lc 14.21) que responderam ao convite para se sentar à mesa do grande banquete, experimentando assim o que Jesus prometeu tornar realidade quando invocou o texto de Isaías 61, no início de seu ministério público: *o ano aceitável do Senhor* (Lc 4.18-19). Os pequeninos somos nós, se abraçarmos o convite de Jesus para nos converter e se fizermos do acolhimento ao outro a nossa marca de vida. Sem isso, seremos mais um daqueles que *fazem tropeçar*. Cuidado!

E tem a narrativa da ovelha perdida. Seria possível?

Não deixa de ser intrigante como cada um dos Evangelhos Sinóticos faz a transição para a próxima narrativa, depois de uma palavra tão dura acerca do agente de tropeço, deixando-o no fundo do mar com uma pedra no pescoço ou mesmo no fundo do inferno. No Evangelho de Marcos a dureza continua e a conversa com Jesus em torno do divórcio é retratada sob a marca de que ninguém separe o que Deus ajuntou (Mc 10.1-12). No Evangelho de Mateus a transição é feita com a palavra de Jesus que diz que *o Filho do Homem veio para salvar o que se havia perdido* (Mt 18.11), seguindo-se o relato da ovelha desgarrada que merece toda a atenção do pastor. Este a busca e a reintegra no grupo das noventa e nove ovelhas, concluindo que não é da vontade de Deus que *nenhum destes pequeninos se perca* (Mt 18.11-14). No Evangelho de Lucas, que fala do tropeço aos pequeninos desvinculado do texto das crianças, o que vem a seguir é a conversa sobre o perdão e a recomendação de Jesus de que o perdão deve ser concedido sempre que o pedirem, ao que os discípulos respondem pedindo que Jesus lhes aumente a fé (Lc 17.3-4).

Depois da veemente exortação quanto aos que fazem os pequeninos tropeçarem os Evangelhos apontam para um possível caminho de restauração. Portanto, se o evangelho é extremamente radical em nos colocar diante do espelho da desgraçada realidade humana para que exclamemos *miserável homem que eu sou!* (Rm 7.24), pois vimos a inevitabilidade do mal no mundo dos tropeços, ele também é radical em nos apontar para o Jesus que veio buscar esse *miserável homem que eu sou* a fim de convidá-lo e desafiá-lo a se encontrar com este Deus para quem é possível aquilo que é *impossível para os homens* (Lc 18.27) e integrá-lo na comunidade dos discípulos que, num assustado balbucio, pedem que a fé lhes seja aumentada. E se a fé pode, como afirma Jesus, *dizer a esta amoreira: 'Arranque-se e plante-se no mar'* (Lc 17.6), ela pode transformar aquele que faz tropeçar num discípulo. Um discípulo que, tal como a ovelha desgarrada, precisa deixar-se encontrar para ser integrado na comunidade dos pequeninos. Um discípulo que precisa aprender a viver do perdão e a estender perdão ao outro, como Jesus ensinou e praticou. Um discípulo tornando-se uma criança. Um pequenino.

Fazer teologia de olho na criança é assim:

- Olhar para as marcas do crescimento de Jesus — sabedoria, estatura e graça — e querer isso para todas as crianças.
- Perceber como as marcas do crescimento de Jesus se tornaram também marcas de sua vida adulta e de seu ministério e querer isso não apenas para a comunidade de seus discípulos, mas para todas as comunidades humanas.

- Aprender a viver nutrindo cuidado e uma atitude voltada para o outro, para o pequenino, na consciência do risco sempre iminente de fazê-lo tropeçar. Estar pronto a perder algo de si para não machucar o outro.
- Denunciar as estruturas e práticas que fazem tropeçar. Uma denúncia que, inclusive e de forma particular, afeta a nós mesmos e a comunidade de fé na qual vivemos.
- Buscar a humildade e caminhar na oração de que sejamos acolhidos por aquele que veio buscar e salvar o perdido; e que, em vez de aniquilados com a pedra de moinho no pescoço, possamos ser encontrados e resgatados como a ovelha perdida no colo do bom pastor. Ovelhas que, restauradas, aprendem a identificar a voz do pastor que não faz tropeçar, mas acolhe para a vida.

7

"ONDE ESTÁ? VIEMOS ADORÁ-LO"

A história do nascimento de Jesus é a nossa entrada
na compreensão e participação no jogo da criação.
Mas, todo nascimento pode, se o permitirmos,
nos levar de volta à maravilha do nascimento de Jesus,
à revelação da vida pura como um presente,
à vida de Deus conosco e por nós.

EUGENE PETERSON

Alguns textos, por não estarem coletivamente presentes nos Evangelhos, parecem mais solitários. Então, por vezes, não sabemos muito bem como olhar para eles, especialmente quando nenhuma configuração histórica os acompanha. Isso não significa, porém, que eles tenham menos presença na construção da narrativa evangélica ou que não tenham uma significativa presença no ideário coletivo dos cristãos no decorrer da história. É o que acontece com o relato de Mateus sobre a chegada dos chamados "magos do oriente" em sua busca do recém-nascido Jesus (Mt 2.1-12). Assim como aparecem eles desaparecem, num solitário texto para o qual não se encontram detalhes históricos quanto à sua real origem e destino. No entanto, eles têm deixado um forte e impactante testemunho acerca de uma rota a ser seguida por tantos que se pretendem seguidores de Jesus.

Os magos surgem como mistério e como mistério seguem caminho, devidamente orientados por estrelas e por um sonho, numa surpreendente rota de escuta e discernimento à qual vão se submetendo. É assim que eles chegam a Jerusalém, a capital que deve deter a informação que procuram: *Onde está o recém-nascido rei dos judeus?* (Mt 2.2). Ledo engano, pois o que eles esperavam que fosse conhecido é bem desconhecido e causam enorme surpresa nessa "ignorante" capital. Eles causam a surpresa do desconhecido e a surpresa do medo, expresso pelo cruel rei Herodes que, tomado pelo "desespero do controle", procura manter o poder como sempre fez: força, violência, sedução e manipulação. Decidido a permanecer no controle e a capturar a informação com a qual está obcecado, ele maquina e manipula com astúcia e sagacidade, sem se dar conta de que desta vez será diferente.

O que segue é a construção de um cenário no qual os magos obtêm a informação que desejam. Herodes os envia a Belém, onde deverão encontrar o que buscam, e diz: *Vão informar-se com exatidão sobre o menino. Logo que o encontrarem, avisem-me, para que eu também vá adorá-lo* (Mt 2.8). Está montado um jogo que não vai dar certo. Não vai dar certo porque aqui não se trata do nascimento de "um rei menino", mas do "Deus menino". Seguindo a direção recebida os magos se mobilizam e em sonho, muito fora do universo de controle de Herodes, são orientados para negar qualquer informação ao enganoso manipulador.

A cena pela qual o texto nos conduz fala de uma estrela que os havia guiado desde o distante oriente e que volta a encher de alegria o coração desses "perdidos" e perplexos magos. Tendo afinal recebido, em Jerusalém, a orientação que buscavam, eles se põem novamente a caminho e são surpreendidos com o reaparecimento da estrela, que volta a guiá-los com precisa direção: *Depois de ouvirem o rei, eles seguiram o seu caminho, e a estrela que tinham visto no oriente foi adiante deles, até que finalmente parou sobre o lugar onde estava o menino* (Mt 2.9). Com a estrela a guiá-los eles seguem alegres e seguros. Quem tem uma estrela-guia já não precisa da orientação de um rei que a tudo e a todos quer controlar. Sem detalhes e com rapidez eles chegam à casa onde estão a mãe e o menino e, prostrando-se, o adoram. Simples. Profundo. Dramático. Eles vieram de longe para algo que parece tão destituído de rito e cerimônia: prostrar-se e adorar o menino, independentemente do lugar onde isso aconteça. Vieram de longe para sinalizar algo que jamais será esquecido. Algo que os anjos e os pastores já sabiam e que Maria guardava no coração, mas que agora adquire a digna performance simbolizada por esses magos com a sua leitura dos sinais dos tempos, com o seu testemunho quanto à natureza do que está acontecendo — *Onde está o recém-nascido rei dos judeus?* — e com os seus presentes, deixando José e Maria estupefatos. Os magos performam algo que as futuras gerações dos seguidores de Jesus também aprenderão a fazer: prostrar-se e adorar o Deus menino. Eles vêm de longe, simbolizando uma comunidade de adoradores que se formará em torno desse recém-nascido. Um recém-nascido que é digno de receber os presentes que eles trouxeram para esse momento singular: *Então abriram os seus tesouros e lhe deram presentes: ouro, incenso e mirra* (Mt 2.11).

A comunidade dos adoradores

A primeira comunidade que, ainda que dispersa, se forma em torno de Jesus, o recém-nascido, é uma composição de adoradores. Adoradores de perto e de longe. Uma adoração que tem na revelação a sua fonte germinal. Uma revelação cheia de mistério — e nem poderia ser diferente, pois foi iniciativa do próprio Deus. O Deus que diz, em referência a Jesus: *Este é o meu Filho amado, em quem me agrado*, como o fez por ocasião de seu batismo (Mt 3.17). O Deus que mobiliza céus e terra, anjos e sonhos nessa rota da revelação. Nela ele envolve pastores, magos, o ancião Simeão e a idosa profetisa Ana, bem como, anos mais tarde, os próprios discípulos, num movimento rumo a uma adoração que Paulo resume magistralmente no assim chamado "hino cristológico", onde diz que Jesus

> *embora sendo Deus, não considerou*
> *que o ser igual a Deus*
> *era algo a que devia apegar-se;*
> *mas esvaziou-se a si mesmo,*
> *vindo a ser servo,*
> *tornando-se semelhante aos homens.*
> *E, sendo encontrado em forma humana,*
> *humilhou-se a si mesmo*
> *e foi obediente até a morte,*
> *e morte de cruz!*

É diante dele que a comunidade de adoradores se reúne e os joelhos se dobram *nos céus, na terra e debaixo da terra, e toda língua confessa que Jesus Cristo é o Senhor, para a glória de Deus Pai* (Fp 2.6-11).

Algumas das demais cenas desse circuito de adoração são dignas de serem revisitadas. Essa adoração tem, por assim dizer, uma de suas primeiras manifestações no ventre de uma idosa grávida que abraça uma adolescente também grávida. Ambas estão grávidas pela misteriosa, surpreendente e assustadora ação de Deus; e quando se encontram a idosa exclama, tomada de uma profunda emoção: *Mas por que sou tão agraciada ao ponto de me visitar a mãe do meu Senhor?* Então, ainda mais emocionada, revela a Maria que *logo que a sua saudação chegou aos meus ouvidos, o bebê que está em meu ventre agitou-se de alegria.* Conforme registra Lucas 1.41-45, é a criança no ventre da Isabel que reconhece quem chegou e é isso que Isabel anuncia:

> *Bendita é você entre as mulheres,*
> *e bendito é o filho que você dará à luz!*

Alguns meses se passam e outra cena volta a impactar Maria. Agora ela já deu à luz o seu filho, que está *envolto em faixas e deitado numa manjedoura.* Em surpreendente algazarra ela vê a estrebaria ser invadida por um grupo de pastores de ovelhas que, empolgados, não conseguem abaixar a voz e acordam o menino. Se a vida no campo já os levava a falar alto, agora os decibéis subiram em função da emoção do momento. Afinal, não é todo dia que se é saudado por anjos, e mais raro ainda é acompanhar com os olhos um coral de anjos cantando o que eles mesmos lutavam por entender:

> *Glória a Deus nas alturas,*
> *e paz na terra aos homens*
> *aos quais ele concede o seu favor.*

Com a partida dos anjos, os pastores também partem ao encontro da criança anunciada, e por onde passam vão contando o que acabaram de presenciar. Quando voltaram, como diz o evangelista Lucas, eles foram *glorificando e louvando a Deus por tudo o que tinham visto e ouvido* (Lc 2.14-20).

Em outro cenário, também registrado por Lucas (2.21-32), vamos encontrar dois lendários personagens no templo em Jerusalém, aonde o recém-nascido Jesus fora levado para *apresentá-lo ao Senhor*, conforme a tradição na qual José e Maria viviam. Um deles é Simeão, descrito como *justo e piedoso*, vivendo à espera da *consolação de Israel*. Movido pelo Espírito ele foi ao templo, justo nessa ocasião, e lá encontrou o menino Jesus. Então tomou-o nos braços e soltou a voz:

> Ó *Soberano, como prometeste,*
> *agora podes despedir em paz o teu servo.*
> *Pois os meus olhos já viram a tua salvação,*
> *que preparaste à vista de todos os povos:*
> *luz para revelação aos gentios*
> *e para a glória de Israel, teu povo.*

A outra personagem se chama Ana e é descrita como profetisa. Dela não temos nenhuma palavra a não ser o testemunho evangélico que a apresenta como uma mulher que vivia no templo, imersa em atitude de oração. Ao encontrar o menino, diz o evangelista, ela *deu graças a Deus e falava a respeito do menino a todos os que esperavam a redenção de Jerusalém* (Lc 2.38).

Essas diferentes cenas se movimentam ao redor do menino Jesus e promovem um encontro entre céus e terra. Um encontro entre anjos e humanos em suas diferentes expressões, sejam eles pastores no campo, piedosos no templo ou magos que vêm de longe. Em torno do menino se encontram os diferentes e todos se sabem tocados e guiados pelo Eterno. Em torno do menino uns veem a promessa cumprida enquanto outros veem a salvação anunciada. Em torno desse menino se vê surgir o anúncio de algo novo que Deus está fazendo no tempo e no espaço. Um tempo que se transforma de "tempo cronometrado" em "tempo oportunizado" — tempo de salvação. Um espaço que rompe fronteiras étnicas e geográficas, pois o que emana desse menino na manjedoura, como diz Simeão, é a *salvação que preparaste à vista de todos os povos: luz para revelação aos gentios e para a glória de Israel, teu povo*. Uma salvação da qual se irá cantar e fazer poesia em tempos diferentes e mundo afora, refletindo o irromper e a esperança quanto a uma nova experiência vital, tanto individual como comunitária. Um tempo no qual o convite será estendido para que as pessoas, até as mais surpreendentes, encontrem o seu lugar entre os adoradores do menino na manjedoura e aprendam com a mãe deste a *guardar todas essas coisas e sobre elas refletir em seu coração* (Lc 2.19).

A adoração é o lugar onde nasce a teologia. Aliás, a teologia começa e termina na adoração e nela se transforma em teologia missional. Teologia que conta a história desse encontro com o menino na manjedoura, tanto dentro como fora dessa comunidade de adoradores. Pois essa é uma comunidade com sede de novas fronteiras e novos encontros.

O processo para essa teologia da adoração nascer tem também o seu espaço de maturação. Espaço para perguntas e espaço para dúvidas, medos e incertezas. Anos mais tarde, quando nos leva ao final de seu evangelho, o evangelista Mateus volta a nos colocar na comunidade de adoradores, agora composta dos discípulos. Discípulos que seguiram a Jesus por anos a fio, com persistência e em meio a encrencas e incompreensões, sem que Jesus deles desistisse. Discípulos que aprenderam a fazer teologia no caminho e que, ao chegarem ao momento da despedida de Jesus, *o adoraram, mas alguns duvidaram* (Mt 28.17), num profundo exemplo dessa comunidade que nunca nega sua humanidade com todas as suas perplexidades, mas sempre se sabe acolhida por esse menino da manjedoura, por esse Cristo crucificado e ressurreto que nos envia mundo afora, para formar novas e sempre novas comunidades de adoradores. Adoradores que experimentam anjos e sonhos, dúvidas e medos, e se sabem cercados e abraçados pela presença do Jesus que diz *E eu estarei sempre com vocês, até o fim dos tempos* (Mt 28.20).

Onde está?

A primeira pergunta dos magos ao chegarem a Jerusalém é *Onde está o recém-nascido rei dos judeus?* A pergunta está correta, se poderia dizer, pois eles vieram de longe para encontrar aquele que buscavam. Mas o lugar onde fizeram a pergunta acabou sendo inadequado e até arriscado. Em Jerusalém, a capital da religião com o seu templo, e um lugar-chave para os representantes do império romano, eles não iriam encontrar quem procuravam. Para encontrá-lo eles teriam de ser orientados a ir a Belém, esse pequeno lugar que os antigos dignificaram porque de lá sairia *o líder que, como pastor, conduzirá Israel, o meu povo* (Mt 2.6, em referência a Mq 5.2). É seguindo esse roteiro que os magos encontrarão aquele que buscam, orientados pela interpretação das Escrituras e seguindo a estrela-guia. Foi lá que os pastores já estiveram, devidamente orientados por anjos. Anjos, estrela-guia, interpretações das palavras de um antigo profeta e até um surpreendente edito imperial é que vão delimitando o roteiro geográfico da encarnação desse Deus menino. Uma encarnação que tem a sua primeira reveladora manifestação na pequena Nazaré, junto a Maria, e vai encontrar concreção histórica numa *manjedoura*, "nas afaras" de uma hospedaria em uma pequena cidade chamada Belém, distante uns oito quilômetros ao sul de Jerusalém.

É significativo notar o movimento que ocorre para que esse menino, chamado pelos magos de *rei dos judeus* (Mt 2.2) e de *Filho do Altíssimo* (Lc 1.32) pelo anjo, viesse a nascer nesse pequeno povoado chamado Belém. Um decreto imperial determinou que José e Maria se locomovessem para lá; mas quando chegaram não havia lugar para eles na hospedaria, forçando-os a se alojarem "nas afloras" do que já era um pequeno lugar. É lá que Jesus nasceu; longe dos portões de Jerusalém e "nas afloras" até da pequena Belém. Longe dos centros de poder, seja político ou religioso. E foi lá também que Jesus morreu: "nas afloras" de Jerusalém, ou, como diz Hebreus, *fora do* acampamento (Hb 13.13), pois esta não reconhece aquele que vem para os conduzir e mata aqueles que o anunciam, como o disse o próprio Jesus: *Jerusalém, Jerusalém, você, que mata os profetas e apedreja os que lhe são enviados! Quantas vezes eu quis reunir os seus filhos, como a galinha reúne os seus pintinhos debaixo das suas asas, mas vocês não quiseram* (Mt 23.37).

É impressionante mapear esse roteiro da encarnação de Jesus. Um roteiro cujo início histórico é anunciado na pobre e rural Nazaré. Ali Jesus irá passar a infância e adolescência, depois de um nascimento improvisado "nas afloras" de uma hospedaria em Belém e de uma fuga assustada nas "caladas da madrugada" quando os pais, alertados em sonho e devidamente orientados por um anjo, fogem com ele para o Egito, onde se tornam refugiados até que a situação se acalme e eles possam voltar à terra natal. O menino Jesus nasce pobre, torna-se um refugiado e cresce na humilde Nazaré, tendo sido aclamado por anjos, estrelas, pastores e magos. Exerce o seu ministério, maiormente, nos arredores da Galileia e longe de Jerusalém, cercado por uma multidão de pessoas enfermas, cansadas e perdidas. É reconhecido como quem fala com autoridade e fala de um jeito que as pessoas se sentem amadas e identificadas. Fala de um novo tempo, e multidões sedentas o ouvem e o seguem. Mas é temido e levado à morte pelo preposto Herodes Antipas e seus similares, como Pilatos, bem como pelos representantes do templo.

Esse é Jesus. Essa é a história do menino anunciado pelos antigos, revelado aos pastores e por eles encontrado, discernido pelos magos e por eles adorado. Esse é o menino que encarna a salvação de Deus que foi preparada *à vista de todos os povos*, como disse Simeão, *luz para revelação aos gentios e para a glória de Israel*. Esse é o mistério de Deus para o qual é preciso ter olhos para ver, ouvidos para ouvir e vontade para querer.

A teologia da criança nos leva ao encontro desse Jesus na manjedoura e lá encontra sua vocação. Com John Mackay aprendemos que teologia não se faz da sacada, distantes da realidade e dos caminhos da encarnação, mas faz-se no caminho.[1] No caminho onde se experimenta a vida, junto com os outros que por lá encontramos. No caminho onde acontecem os encontros e desencontros, as agonias que desencaminham e os roteiros que apontam caminhos. Com a teologia da criança aprendemos que esse caminho começa aos pés da manjedoura, em adoração e com um senso de identificação

---

[1] Juan A. Mackay, *Prefacio a la teologia cristiana* (México, DF: Casa Unida de Publicaciones, 1984), p. 35-38. Nessas páginas o autor descreve o que seria essa teologia "desde el Balcón" e o que ele chama de "teologia del Camino".

com esse roteiro que nos leva a Nazaré, a Belém, ao Egito, sempre numa periferia que desconfia e denuncia a religião do templo e a prepotência do império. Uma jornada que leva à cruz, "nas aforas", mas lá não acaba pois logo se descobre que o túmulo está vazio. No encontro com o túmulo vazio se escuta a outra voz, a voz do anjo, que diz *Ele não está aqui! Ressuscitou* (Lc 24.6), enquanto as autoridades estão, como costumam fazer, subornando os guardas para que divulguem a versão que lhes convém, que é a versão do roubo do corpo de Jesus.

Onde está? — é a pergunta que precisa continuar a ressoar para que se escute sempre novamente: ele está na manjedoura. E quem está na manjedoura é aquele que o velho profeta disse que *nos guiará* (Is 11.6). *Onde está?* — é a pergunta que precisa sempre ecoar para que a resposta possa ser escutada, ao afirmarmos que *ele não está aqui! Ressuscitou!* Essa é a resposta a ser proclamada, por mais que essa voz gere novas perguntas, seja negada ou queira ser abafada. O mistério continua.

A teologia precisa encontrar e se identificar com esse surpreendente roteiro que leva à manjedoura, em Belém. Um roteiro pontuado, ainda, pela Nazaré da Galileia e pelas cercanias da própria Galileia, para depois defrontar-se com a cruz, além dos portões de Jerusalém. Nesse caminho vamos encontrar os mais inesperados, os mais diferentes e os mais vulneráveis, e junto com eles recebemos o sentido e o roteiro do nosso processo de aprendizado quanto às coisas de Deus e o seguimento a ele. Não é um lugar fácil, mas é o lugar onde precisamos ser encontrados. É esse o lugar de fala da teologia.

Muitas vezes, confesso, procurei outros lugares e roteiros, como já indiquei lá no início e repito aqui. Lugares com boas cadeiras, boas mesas e bons cheiros. Lugares com os estudados, linguagens fluentes e belas formulações, no esforço de ser reconhecido entre os que pensam roteirizar a vida. Lugares de sofisticadas companhias, aonde se chega depois de longas viagens e passagens custosas. Lugares com sinos harmoniosos, vitrais brilhantes, rituais ofuscantes e corais bem ensaiados. Lugares que nos levam "à vesguice e à gaguez", como diz Karl Barth,[2] e onde os fortes cheiros da manjedoura e as abundantes sujeiras da estrebaria geram muito desconforto. Lugares nos quais a voz do Espírito insiste em perguntar "Certeza de que este é o lugar? Cuidado!". Nesses lugares se encontram tantas coisas, discursos, etiquetas, roteiros e rituais, mas é difícil encontrar lugar para a manjedoura. A não ser para a manjedoura estetizada, mas esta é sempre uma mentira. Ele não está nela. Ele está na manjedoura da estrebaria e é lá que precisamos encontrar o nosso lugar, porque é lá que se gesta seguimento ao Deus menino. É lá que a teologia precisa encontrar o seu lugar, no seguimento ao "menino que nos guiará".

Uma criança os guiará

Num conhecido enunciado poético em referência à encarnação de Deus em Jesus, como menino nascido de Maria, Leonardo Boff diz, de forma magistral, que:

> Todo menino quer ser homem
> Todo homem quer ser rei

[2] Karl Barth, *Introdução à teologia evangélica* (São Leopoldo, RS: Sinodal/IEPG, 2003), p. 17.

> Todo rei quer ser deus.
> Só Deus quer ser menino.[3]

Deus querer ser menino é, de fato, algo profundamente surpreendente. E não tem como não se perguntar pela razão e pelo significado dessa sua intencionalidade. São os Evangelhos de Mateus e de Lucas, como vimos, que se propõem falar do nascimento de Jesus; e o fazem de tal forma que nem o mistério nem a forma absolutamente humana como isso acontece deixam de estar presentes, em mútua convivência. Não se estava, afinal, falando de "qualquer coisa", mas do inusitado e impensável fato de que Deus estava se fazendo presente em forma de criança. Criança recém-nascida de parto normal. Criança que irá crescer como todas as outras crescem. Criança, com toda a sua fragilidade, encanto, presença e potencialidade. Deus vira criança, e com isso o desenho de nossas expectativas quanto a quem Deus é vira de cabeça para baixo. Pois de Deus se espera que ele seja forte, resoluto, distante da realidade e interventor na realidade. A Deus se projeta como fora da realidade humana, para que esta possa se pendurar nele a fim de encontrar a força e os recursos para uma vida vitoriosa. Deus, afinal, não se molha na chuva. Ele manda a chuva. Como uma voz absolutamente dissonante dessa expectativa, no entanto, o evangelho nos diz, nas palavras de João, que *a Palavra tornou-se carne e viveu entre nós*, e o

---

[3] Leonardo Boff, "Natal: festa da humanidade de Deus e da comensalidade humana", Leonarsdoboff.org, 19 de dezembro de 2014, <https://leonardoboff.org/2014/12/19/natal-festa-da-humanidade-de-deus-e-da-comensalidade-humana/>, acesso em 21 de dezembro de 2022.

fez *cheio de graça e verdade* (Jo 1.14). E isso aconteceu como acontece com todos os humanos, após os necessários meses de gravidez e através de um parto, como é normal acontecer. A *Palavra* nasceu da Maria.

Esse surpreendente mistério tem acompanhado a fé cristã no decorrer da história, e há dois textos germinais aos quais há contínua referência quando se busca dar maior sentido e significado ao acontecimento em torno do menino nascido em Belém. Ambos os textos provêm do profeta Isaías, e a memória deles está presente no anúncio do nascimento de Jesus, como acontece no Evangelho de Mateus. Nesse relato é José que está procurando encontrar algum sentido no que está acontecendo. Ele não está conseguindo processar essa estranha gravidez de sua prometida Maria e seu discurso quanto à visita de um anjo, até que ele mesmo, em sonho, recebe um anjo que lhe descreve exatamente o que está se passando com Maria, evocando, para tal, a palavra daquele profeta que disse que *a virgem ficará grávida e dará à luz um filho, e lhe chamarão Emanuel, que significa "Deus conosco"* (Mt 1.23, em referência a Is 7.14).

O profeta Isaías tem uma longa militância e acompanhou diferentes momentos do povo de Israel, o que torna o seu livro longo, rico e bem diverso. Oriundo da capital Jerusalém, ele é, digamos assim, um profeta do templo e atuou entre os anos 740 a 700 a.C. Sendo esse endereço a sua plataforma profética, ele é também conhecido como o mestre do anúncio messiânico. É no livro de Isaías que vamos encontrar o conhecido poema do Servo Sofredor, no qual a comunidade do Novo Testamento discerne o anúncio do que seria a trajetória do próprio Jesus (Is 53).

É também no profeta Isaías que Jesus encontra o anúncio e a linguagem para o delineamento de seu ministério, como apresentado no Evangelho de Lucas (Lc 4.18-19, em referência a Is 61.1-2). E é nesse mesmo profeta que a comunidade de fé encontra a matriz do enunciado dado a Maria, novamente pelo anjo, quando diz que esse menino anunciado *será grande e será chamado Filho do Altíssimo. O Senhor Deus lhe dará o trono de seu pai Davi* (Lc 1.32, em referência a Is 9.7).

Os dois textos germinais, referendados acima, são os seguintes:

Porque um menino nos nasceu,
    um filho nos foi dado,
e o governo está sobre os seus ombros.
E ele será chamado
Maravilhoso Conselheiro, Deus Poderoso,
    Pai Eterno, Príncipe da Paz.

Isaías 9.6

Um ramo surgirá do tronco de Jessé,
    e das suas raízes brotará um renovo.
*O Espírito do S*ENHOR *repousará sobre ele [...].*
A retidão será a faixa de seu peito,
    e a fidelidade o seu cinturão.
O lobo viverá com o cordeiro,
    o leopardo se deitará com o bode,
o bezerro, o leão e o novilho gordo pastarão juntos;
    e uma criança os guiará.

Isaías 11.1-2,5-6

Num artigo intitulado "A criança como sinal", o biblista Milton Schwantes nos leva a visualizar o lugar e o momento histórico no qual esses dois textos nasceram, apontando para o impacto que tiveram e a proposta que articularam. Ao resgatar aquilo que Schwantes chama de "sentido isaiânico" desses textos, ele tem a intenção de aprofundar o seu significado para a comunidade de fé do Novo Testamento.[4] De fato, a possibilidade de entender o texto no seu contexto joga luz para o nosso contexto no afã de melhor abraçar a palavra de Isaías quando diz que do tronco de Jessé brotará um renovo e que uma criança será o guia. Então percebe-se que o melhor sentido do texto é encontrado no seu todo e não no mero isolamento de uma ou outra expressão, como somos tentados a fazer.

Essas duas palavras do profeta têm os seus respectivos encaixes. A primeira delas se encontra no bloco formado pelos capítulos 6 a 9 do livro de Isaías, identificado por Schwantes como um "panfleto de resistência". A segunda está encaixada no capítulo 11, com destaque para o renovo sobre quem pousará o Espírito do Senhor. Ambas as referências são iluminadas pelo marco maior da mensagem profética, que poderia ser qualificada como tendo três facetas: "o apelo à justiça, a confiança em Sião e a utopia messiânica".[5]

A época em que o profeta colocou essa mensagem na mesa, por assim dizer, era tensa e difícil. Num horizonte assustador, o emergente império assírio ameaçava engolir tanto a Síria como toda a Palestina. A Síria e Israel, que

---

[4] Milton Schwantes, "A criança como sinal", in Klênia Fassoni, Lissânder Dias e Welinton Pereira (orgs.), *Uma criança os guiará: Por uma teologia da criança* (Viçosa, MG: Ultimato, 2010), p. 147.

[5] Ibid., p. 148, 151.

representavam a parte norte do antigo reino de Davi, se aliam para resistir a esse avanço e têm forte interesse em que Judá, que era a parte sul desse antigo reino, se alie a eles, aumentando assim sua capacidade de resistência. Mas não é isso que acontece, pois Acaz, o rei de Judá, faz uma aliança com o reino assírio, concordando em lhe pagar tributo e assim ser poupado de uma conquista militarizada. Em consequência dessa aliança o reino é invadido pelas forças siro-israelitas gerando uma guerra sem vencedores e um pedido de ajuda ao reino da Assíria por parte de Acaz.[6]

Em seu engajamento profético nesse conflito e em sua palavra ao rei Acaz, Isaías aponta para um caminho que surpreende, pois diz que a resposta está no rebento que nascerá do tronco de Jessé, na virgem que dará à luz um filho que se chamará Emanuel, no governo que estará sobre os ombros desse menino e que este será o guia rumo ao estabelecimento de memoráveis tempos de paz e bonança, quando *o lobo viverá com o cordeiro*. Essa criança estará a serviço da justiça para com os pobres, da equidade para com os mansos da terra e da aniquilação do perverso, sempre sob a unção do Espírito do Senhor. Isaías se opõe, portanto, tanto a uma aliança com os assírios quanto à participação numa coalização contra a Assíria. Ele se opõe a qualquer solução militarizada que se baseie na força e na valentia e aponta para o novo que Deus quer fazer brotar em meio à fraqueza e através da confiança nele. Optar pela força será um desastre, venha de onde vier. Pois, como diz o profeta: *Escutem, terras distantes: Ainda que vocês se preparem para o combate, serão destruídas* (Is 8.9). O que o Senhor está preparando é algo completamente novo: *não*

---

[6] Ibid., p. 149.

haverá mais escuridão para os que estavam aflitos, pois *o povo que caminhava em trevas viu uma grande luz; sobre os que viviam na terra da sombra da morte raiou a luz*. Pois ele fez *crescer a nação* e aumentou *sua alegria* (Is 9.1-3). Essa grande luz, diz o profeta, brotará desse menino prometido. Uma promessa que o profeta Isaías não viu se concretizar, mas que a comunidade do Novo Testamento identificaria como sendo Jesus.

O profeta Isaías nos abre o caminho para que possamos seguir os magos rumo à adoração ao Deus menino. Um Deus que, ao se tornar menino, denuncia e desconstrói todos os mecanismos de força e violência que têm marcado gerações sem fim e produzido um mundo de desigualdades, injustiça e opressão. Um Deus que se torna menino e assim, em total sintonia com a realidade humana, vai crescer para um ministério que acolherá os pequeninos, formar uma nova comunidade de seguidores, anunciar o evangelho do Reino em palavra e ação e culminar com a experiência da fraqueza na cruz. Um Deus que, ao se tornar menino, aponta para a construção de um mundo onde os cegos veem, os coxos andam, os leprosos são purificados, o evangelho e um novo tempo de graça são anunciados. Um tempo que é marcado pela voz de outro anjo (ou seria o mesmo?) que diz *Ele não está aqui! Ressuscitou!*

Esse Deus menino nos convida a ser pequeninos, pois estes sabem o caminho da adoração ao Deus menino. São eles que foram agraciados com a revelação dos novos caminhos que Deus tem preparado desde a eternidade. São os pequeninos que se deixam guiar pelos caminhos do Eterno, pois descobriram a Criança que os guiará.

A teologia da criança se aprende sendo criança aos pés da Criança que nos guiará. Um mistério sem fim. Um mistério que descortina esperança.

8
TEOLOGIA DA CRIANÇA
O mistério continua

Tornar-se criança significa aprender
a dizer *abba* novamente.

JOACHIM JEREMIAS

Crianças e poetas criam novas linguagens,
mudam a sintaxe, produzem novos idiomas
e tornam nanico o discurso social dos adultos.

EDESIO SÁNCHEZ

Os meninos e as meninas,
junto com os poetas e pintores,
ao alterar o mundo "adulto",
criam novos mundos e nos enchem de esperança.

EDESIO SÁNCHEZ

Uma das coisas que se aprende nesta caminhada teológica é que na vida não se faz nada sozinho, e se tentar fazê-lo o que se tem em mãos é apenas isso: "a teologia de uma nota só". A gente é comunidade, a gente vive em comunidade e a gente exerce a vocação em comunidade. Nas conversas aqui entabuladas, o que destacamos e celebramos é a presença e a ministração das crianças em nosso viver comunitário. Elas são vitais para a nossa humanidade, pois nos mostram o que é viver com confiança, humildade, leveza e simplicidade, ainda que sem a utopia da criança "boazinha e bonitinha". As crianças, em e com toda a sua humanidade, são vitais pois representam o contínuo convite para cuidar, abraçar e abençoar o outro, o pequenino, e assim encontrar-nos com a nossa própria vocação no seguimento a Jesus. Esse roteiro é descrito por Lucas de forma magistral: *Quem recebe esta criança em meu nome, está me recebendo; e quem me recebe, está recebendo aquele que me enviou. Pois aquele que entre vocês for o menor, este será o maior* (Lc 9.8). E Lucas poderia ter acrescentado: "Tenho dito".

Já faz uns bons anos que aprendi, e costumo repetir, duas importantes coisas no meu encontro com o livro *Sacred*

Journey [Jornada sagrada], de Frederick Buechner.[1] A primeira delas foi que fazer teologia é mergulhar na própria vida; e cada vez mais eu me convenço de que não há como teologizar sem revirar o estômago, sem acelerar o coração e sem direcionar os caminhos da vida segundo a pulsação dos Evangelhos e o seu chamado para o seguimento a Jesus. Assim, ao entrar no universo da teologia da criança eu fui entrando em mim mesmo e encontrando a mim mesmo, como gratidão e surpresa mas também como vulnerabilidade e encontro com todo o potencial da maldade. Isso me leva ao segundo aprendizado, no qual me permiti abraçar a teologia como encontro com os fios soltos nos cantos e recantos da vida, sem precisar nem abandonar nem negar nenhum deles, enquanto ia respirando confiança e esperança em meio aos complexos meandros da vida e enquanto a presença de Deus insistia em ser um mistério revelado em Jesus. É a criança, novamente, quem nos ensina a deixar os fios soltos junto a Jesus, enquanto ele nos abençoa, bem assim como fez com as crianças: *Em seguida, tomou as crianças nos braços, impôs-lhes as mãos e as abençoou* (Mc 10.16).

A teologia como autobiografia e como um encontro com os fios soltos e os cantos da vida é, de fato, um caminho que precisa continuar aberto, pois, como diz Lenine,

> Mesmo quando tudo pede
> Um pouco mais de calma
> Até quando o corpo pede
> Um pouco mais de alma

[1] Frederick Buechner, *The Sacred Journey* (Nova York: Harper Collins, 1974).

Eu sei, a vida é tão rara
A vida não para, não.
A vida é tão rara![2]

Ainda que a vida não pare, o que eu celebro com gratidão e expectativa, este texto precisa ser parado, mesmo que eu tenha tantas anotações soltas sobre a minha mesa e outras coisas que ainda gostaria de contar. Coisas que, afinal, podem e até precisam esperar, pois amanhã a gente pode conversar de novo. Antes, porém, de fechar as cortinas deste livro, tenho uma confissão a fazer e três memórias que não consigo esperar para contar.

Este texto está repleto de histórias e imagens que foram se acumulando no decorrer dos anos e acabam retratando muito do que tem sido a minha vida com os seus "cantos e recantos". Os anos ministeriais, por assim dizer, foram se sobressaindo por refletirem tanto os anos de intensa atividade como essa minha neurose pelo trabalho, pela ação e pelo movimento. Preciso e quero reconhecer que essa "muvuca ministerial" tem um componente de ilusão e autoengano e representa uma contradição a esta teologia aqui desenhada. Uma teologia, portanto, que me chama ao arrependimento e à conversão, para dizer isso mais uma vez, num exercício confessional que tem dificuldade de conviver com a graça. O que, no entanto, tem muito menos de ilusão e engano é a realidade da convivência familiar, à qual também já houve referência no decorrer do livro. Esta apresenta consistência e realidade e nela vou encontrando graça, apoio e cuidado, à medida que os anos vão passando e uma espécie de

---

[2] Lenine, "Paciência", do álbum *Na pressão* (Sony BMG, 1999).

"teologia caseira" vai sustentando a vida. Ontem (quando escrevo), por exemplo, um dos meus filhos ligou para me dizer que eu estava muito calado; e ele tinha razão, pois quieto tenho andado. Outro filho me encontrou vestindo a camiseta com a logo da VM e me deixou saber, sem meias-palavras, o quanto esta havia recebido a minha atenção e me tirado do exercício da paternidade, no que também tinha razão, me levando a ficar ainda mais quieto. Mas isso não foi tudo, pois um neto me mandou duas fotos minhas, que achou em algum canto, com o comentário "é meio assustador". Eu olhei as fotos, achei que ele tinha razão, mas sorri, pois sabia que o seu comentário estava marcado por uma "irônica graça" ou seria "graça irônica". Estou usando, atrapalhado, muitas palavras para dizer que a convivência familiar, com a presença da Silêda, o cuidado gracioso dos filhos e noras e os netos bagunçando a vida, é um contínuo convite para eu não sair do trilho desta teologia que se alimenta do cuidado e da graça.

Quanto às memórias, elas serão mais curtas. Na primeira delas eu tenho doze anos e uma imagem me vem à mente. Nela se começa a desenhar a vocação de Deus para a minha vida. Como filho da tradição luterana, esperava-se que com essa idade eu entrasse no que se chama de "ensino confirmatório", no qual os rudimentos da fé cristã são apresentados aos adolescentes. Isso faz tanto tempo, mas lembro que foi ali, no universo daquela experiência, que tive registrada no íntimo a voz que me dizia que eu poderia vir a ser um pastor, pois era um deles que nos conduzia naquele ensino. Foi ali, me diz a memória, ali no pátio da Igreja da Paz, sita na rua Princesa Isabel, em Joinville, Santa Catarina. Foi ali e eu era criança. Um mistério.

Ainda que a minha família fosse de tradição luterana, o estudo da teologia e o seguimento da vocação pastoral não faziam parte da tradição de nossa casa, e isso não cabia facilmente no universo da minha mãe, costureira, e do meu pai, ferramenteiro e soldador. Sem encontrar muita força alimentadora em nossa cultura familiar, essa imagem vocacional ficou solta e caiu no resguardo, por um tempo. Até que, aos dezessete anos e já com uma experiência viva no universo da fé em Cristo, a imagem voltou e o fez com força e com clareza, embora lá em casa alguém dissesse (com o devido sotaque alemão) que "isso é fogo de palha do Váldi", como eu era chamado. Mas fogo de palha não foi e até hoje eu pronuncio um suspiro de surpresa quanto a essa voz que me levou por caminhos que eu nunca havia imaginado, mas caminhos que sempre tiveram um endereço vocacional no tempo e no espaço. Hoje, ao rabiscar teologia de criança, eu me recordo que foi como criança que a vocação de Deus me alcançou — e isso continua a ser, para mim, um mistério. Um mistério que não quero explicar, mas apenas sorrir. Deus fala com a criança e a criança o entende.

A segunda memória me leva ao encontro com Frances Young. Na ocasião, confesso, eu a ouvi com atenção, mas foi só depois e aos poucos que ela foi entrando em mim e me fazendo significativa companhia. Eu a *escutei* quando ela me falou de sua experiência como mãe de um filho, de nome Arthur, com severa deficiência, bem como dela como professora de teologia e como ministra metodista. Eu a *recebi* em seu testemunho sobre seu encontro com Deus, com sua vocação ministerial e com sua maternidade. Testemunho que não escondeu seu deserto, suas agonias, suas companhias de dor e de perguntas e seus encontros com um Deus que estava continuamente presente em sua vida e a levou a uma relação profunda com ele e com o outro, especialmente com o outro em suas vulnerabilidades e deficiências. Ao final do seu livro *Arthur's Call* [A vocação de Arthur], ela mergulha fundo na pergunta pela vocação de seu filho deficiente num mundo de tanta aclamação da performance e da conquista.[3] Suas conclusões são especiais e tocantes, e em diálogo com elas eu aponto para algumas marcas que não quero esquecer quando falo de teologia da criança.

- A marca de nossa humanidade está em nosso pedido de ajuda, no reconhecimento de que de ajuda todos precisamos. Uma ajuda que encontra sua configuração na comunidade do cuidado que se materializa nos frutos do Espírito, que são *amor, alegria, paz, paciência amabilidade, bondade, fidelidade, mansidão e domínio próprio* (Gl 5.22-23).
- Pedir ajuda nos torna dependentes e essa dependência do outro se transforma em espaço de ministração. À medida que o outro vai sendo cuidado e vai se deixando cuidar ele nos encontra em nosso próprio deserto e em nossa própria necessidade de ser cuidados e ministrados.
- O cuidado e o cuidador fazem parte da comunidade de fé, na qual Cristo é o centro. Este, ressurreto, se apresenta aos discípulos com as marcas da crucificação em seu corpo e assim se torna o paradigma dessa comunidade composta dos cansados, dos enfermos,

---

[3] Frances Young, *Arthur's Call: A Journey of Faith in the Face of Severe Learning Disability* (Londres: SPCK, 2014), p. 141-158

dos injustiçados, dos desarraigados e dos pequeninos. Estes compõem o corpo de Cristo.
- Essa comunidade gera espaço para diferentes expressões de adoração. Expressões que vão bem além de toda linguagem verbal e criam espaço para todas as diferentes "linguagens", inclusive para aquelas que brotam como murmúrio, como exclamação ou mesmo como silêncio. Nessa comunidade de fé há lugar para o outro expressar sua adoração exatamente como ele é e no estado em que ele se encontra.
- Essa comunidade de adoradores tem uma intensa experiência com o que Frances chama de "mistério da graça". Uma experiência que encontra tantos jeitos quantas são as necessidades e as vulnerabilidades. Uma experiência que encontra tantas expressões quantos são os caminhos de Deus em encontrar os espaços de relacionalidade que falam do seu amor por todos e por cada um.

A teologia da criança abre tantas portas para o nosso encontro com Deus e com o outro que nunca deixamos de nos surpreender! A teologia da criança abre tantas janelas para o encontro com o mistério da graça de Deus que nunca deixamos de suspirar, agradecidos.

A terceira memória me leva a uma das últimas vezes em que estive com meu pai, já no quarto do hospital, em seus últimos dias de vida. Numa cena bastante íntima nós celebramos a ceia do Senhor, algo bem sacramental em nossa tradição, na qual ele participou intensamente. Ao final, fugindo do protocolo no qual o pastor faz a oração, eu perguntei se ele gostaria de orar, ao que ele aquiesceu. À medida que ele orava, numa quase recapitulação das marcas de sua vida, fui me dando conta de que a palavra-chave de sua oração era "gratidão". Não uma, mas repetidas vezes: gratidão. Desculpem, mas isso precisa de uma palavra aclaradora: meu pai nunca foi um homem a fazer muito uso dessa palavra. Ele era um homem sério, trabalhador e exigente, vivendo sob a marca da obrigação e não da gratidão. No final da vida, no entanto, ele me surpreende com essa oração! No seu sepultamento eu tive a oportunidade de dizer que meu pai "foi se convertendo à prestação" no decorrer de sua vida e chegou ao final dela dizendo "te agradeço". Nem ele e nem eu temos na palavra "gratidão" uma das marcas de nossa vida, mas meu pai a pronunciou antes de morrer e eu também quero morrer assim. Meu pai morreu como criança.

O mistério continua!

SOBRE O AUTOR

Valdir Steuernagel atua junto à Visão Mundial (World Vision) desde 1989, tendo presidido os conselhos nacional e internacional da organização. Hoje é embaixador da Visão Mundial Brasil, da Aliança Cristã Evangélica Brasileira e colunista da revista *Ultimato*. É pastor luterano com mestrado e PhD pela Lutheran School of Theology em Chicago, nos Estados Unidos. Autor de várias obras, organizou e coescreveu pela Mundo Cristão os livros *Formação espiritual* e *Espiritualidade no chão da vida*. É casado com Silêda, com quem tem quatro filhos e sete netos. Juntos se dedicam ao ministério da nutrição espiritual e vocação missional.

Compartilhe suas impressões de leitura,
mencionando o título da obra, pelo e-mail
opiniao-do-leitor@mundocristao.com.br
ou por nossas redes sociais

Esta obra foi composta com tipografia Palatino
e impressa em papel Pólen Natural 70 g/m² na gráfica Imprensa da Fé